★この作品はフィクションです。実在の人物・
団体・事件などには、いっさい関係ありません。

暗殺教室《あんさつきょうしつ》
松《まつ》井《い》優《ゆう》征《せい》
1
暗《あん》殺《さつ》の時《じ》間《かん》
JUMP COMICS

暗殺教室 ❶ 目次

〈 数学 問題用紙 〉

…つの直線との交点を、下図のよう

〈 答案用紙 〉

第1話	暗殺の時間	= 005
第2話	野球の時間	= 057
第3話	サービスの時間	× 081
第4話	基礎の時間	= 101
第5話	カルマの時間	÷ 121
第6話	二択の時間	= 143
第7話	毒の時間	< 163
休み時間	殺せんせーの絵描き歌	= 182

| 学年 | 3 | クラス | モ | 氏名 | もくじ | 得点 | |

を表す記号を作成

内接し、さらにBC

ている。半円O'の半

第《だい》1話《わ》　暗殺《あんさつ》の時間《じかん》
ガラララッ…
3-E
ペタン
ドタン
ペタン
ペタン
ドクン
ドタン
HR《ホームルーム》を始《はじ》めます
日直《にっちょく》の人《ひと》は号令《ごうれい》を！
パタン
き…

起《き》立《りつ》!!
ジャキ
ジャキ
ジャキ
ガッ

第1話《だいわ》 暗《あん》殺《さつ》の時《じ》間《かん》
ジャキッ
ドッ

START!!

カチッ
気《き》をつけ!!
チャッ
ニヤ
ニヤ
僕等《ぼくら》は、
殺《ころ》し屋《や》。
ゴク…
れ―――――い!!!!
ズバババババババババ

おはようございます
パパパパ
パパパパ
発砲《はっぽう》したままで結構《けっこう》ですので出欠《しゅっけつ》を取《と》ります
磯貝君《いそがいくん》
……!!
パパパ
すいませんが銃声《じゅうせい》の中《なか》なのでもっと大《おお》きな声《こえ》で
…は はい!!
ド
パパパパパ
岡野《おかの》さん
はい!!
片岡《かたおか》さん
はい!!

遅刻無《ちこくな》し…と
素晴《すば》らしい!
先生《せんせい》とても
うれしいです
パカーー
速《はや》すぎる!!
クラス全員《ぜんいん》の
一斉射撃《いっせいしゃげき》で
駄目《だめ》なのかよ!!
標的《ターゲット》は、
先生《せんせい》。
パラ
パラ
パラ
残念《ざんねん》ですねぇ
今日《きょう》も
命中弾《めいちゅうだん》
ゼロです
ニヤ…
数《かず》に頼《たよ》る戦術《せんじゅつ》は
個々《ここ》の思考《しこう》を
おろそかにする
……
目線《めせん》
銃口《じゅうこう》の向《む》き
指《ゆび》の動《うご》き
一人一人《ひとりひとり》が
単純《たんじゅん》すぎます

もっと工夫《くふう》しましょう
でないと…
最高時速《さいこうじそく》マッハ20の先生《せんせい》は殺《ころ》せませんよ
本当《ほんとう》に全部《ぜんぶ》よけてんのかよ先生《せんせい》！
どう見《み》てもこれただのBB《ビービー》弾《だん》だろ？
当《あ》たってんのにガマンしてるだけじゃねーの⁉
そうだそうだ‼
ぶーぶー
…
では弾《たま》をこめて渡《わた》しなさい
言《い》ったでしょう
この弾《たま》は君達《きみたち》にとっては無害《むがい》ですが…
チャッ

パン
ブチュッ
国《くに》が開発《かいはつ》した
対先生《たいせんせい》
特殊弾《とくしゅだん》です
ビチビチビチビチビチビチ
先生《せんせい》の細胞《さいぼう》を
豆腐《とうふ》のように
破壊《はかい》できる
ああ
もちろん
数秒《すうびょう》あれば
再生《さいせい》しますが
だが
君達《きみたち》も
目《め》に入《はい》ると
危《あぶ》ない
先生《せんせい》を殺《ころ》す
以外《いがい》の目的《もくてき》で
室内《しつない》での発砲《はっぽう》は
しないように

殺《ころ》せると
いいですねぇ
ファ…
ボ
卒業《そつぎょう》までに
銃《じゅう》と弾《たま》を
片付《かたづ》けましょう
授業《じゅぎょう》を
始《はじ》めます
キーーン
コーーン
カーーン
コーーン
椚《くぬぎ》ケ《が》丘中学校《おかちゅうがっこう》
3-E《イー》は
暗殺教室《あんさつきょうしつ》
始業《しぎょう》のベルが
今日《きょう》も鳴《な》る

そこで問題《もんだい》です木村君《きむらくん》
この四本《よんほん》の触手《しょくしゅ》のうちの仲間外《なかまはず》れは？
…
青《あお》い触手《しょくしゅ》？
正解《せいかい》!!
青《あお》の例文《れいぶん》のwho《フー》だけが関係詞《かんけいし》です
何《なん》で僕等《ぼくら》がこんな状況《じょうきょう》になったのか
ね
渚《なぎさ》
昼《ひる》だけど出《で》てるね
三日月《みかづき》
3年生《ねんせい》の初《はじ》め
僕等《ぼくら》は2つの事件《じけん》に同時《どうじ》に遇《あ》った

月《つき》が!!
爆発《ばくはつ》して7割方《わりがた》蒸発《じょうはつ》しました!!
我々《われわれ》はもう一生《いっしょう》三日月《みかづき》しか見《み》れないのです!!
初《はじ》めまして私《わたし》が月《つき》を爆《や》った犯人《はんにん》です
来年《らいねん》には地球《ちきゅう》も爆《や》る予定《よてい》です
君達《きみたち》の担任《たんにん》になったのでどうぞよろしく

まず5・6か所《しょ》ツッコませろ!!
クラス全員《ぜんいん》そう思《おも》った
防衛省《ぼうえいしょう》の烏間《からすま》という者《もの》だ
まずはここからの話《はなし》は国家機密《こっかきみつ》だと理解頂《りかいいただ》きたい
単刀直入《たんとうちょくにゅう》に言《い》う
この怪物《かいぶつ》を君達《きみたち》に殺《ころ》して欲《ほ》しい!!

…え 何《なん》スか?
そいつ 攻《せ》めて来《き》た 宇宙人《うちゅうじん》か 何《なん》かスか?
失礼《しつれい》な!
プス――
生《う》まれも 育《そだ》ちも 地球《ちきゅう》ですよ
詳《くわ》しい事《こと》を 話《はな》せないのは 申《もう》し訳《わけ》ないが
こいつが 言《い》った事《こと》は 真実《しんじつ》だ
月《つき》を壊《こわ》した この生物《せいぶつ》は 来年《らいねん》の3月《がつ》 地球《ちきゅう》をも 破壊《はかい》する
この事《こと》を 知《し》っているのは 各国首脳《かっこくしゅのう》だけ
世界《せかい》が パニックに なる前《まえ》に…
秘密裏《ひみつり》に こいつを殺《ころ》す 努力《どりょく》をしている
スッ…
つまり

ヒュッ
暗殺《あんさつ》だ
カッ
だが
こいつはとにかく速《はや》い!!
シャ
チョキ
プチ
シャッ
殺《ころ》すどころか眉毛《まゆげ》の手《て》入《い》れをされてる始末《しまつ》だ!!
丁寧《ていねい》にな!!
シャ
つまり
こいつが本気《ほんき》で逃《に》げれば
満月《まんげつ》を三日月《みかづき》に変《か》えるほどのパワーを持《も》つ超生物《ちょうせいぶつ》だ
最高速度《さいこうそくど》は実《じつ》にマッハ20!!
我々《われわれ》は破滅《はめつ》の時《とき》まで手《て》も足《あし》も出《で》ない

ま
それでは面白《おもしろ》くないのでね
パチン
私《わたし》から国《くに》に提案《ていあん》したのです
殺《ころ》されるのはゴメンですが…
ポン
椚《くぬぎ》ヶ丘中学校《がおかちゅうがっこう》3年E組《ねんイーぐみ》の担任《たんにん》ならやってもいいと
何《なん》で!?
こいつの狙《ねら》いはわからん
だが政府《せいふ》はやむなく承諾《しょうだく》した
君達生徒《きみたちせいと》に絶対《ぜったい》に危害《きがい》を加《くわ》えない事《こと》が条件《じょうけん》だ
理由《りゆう》は2つ
教師《きょうし》として毎日教室《まいにちきょうしつ》に来《く》るのなら監視《かんし》ができるし

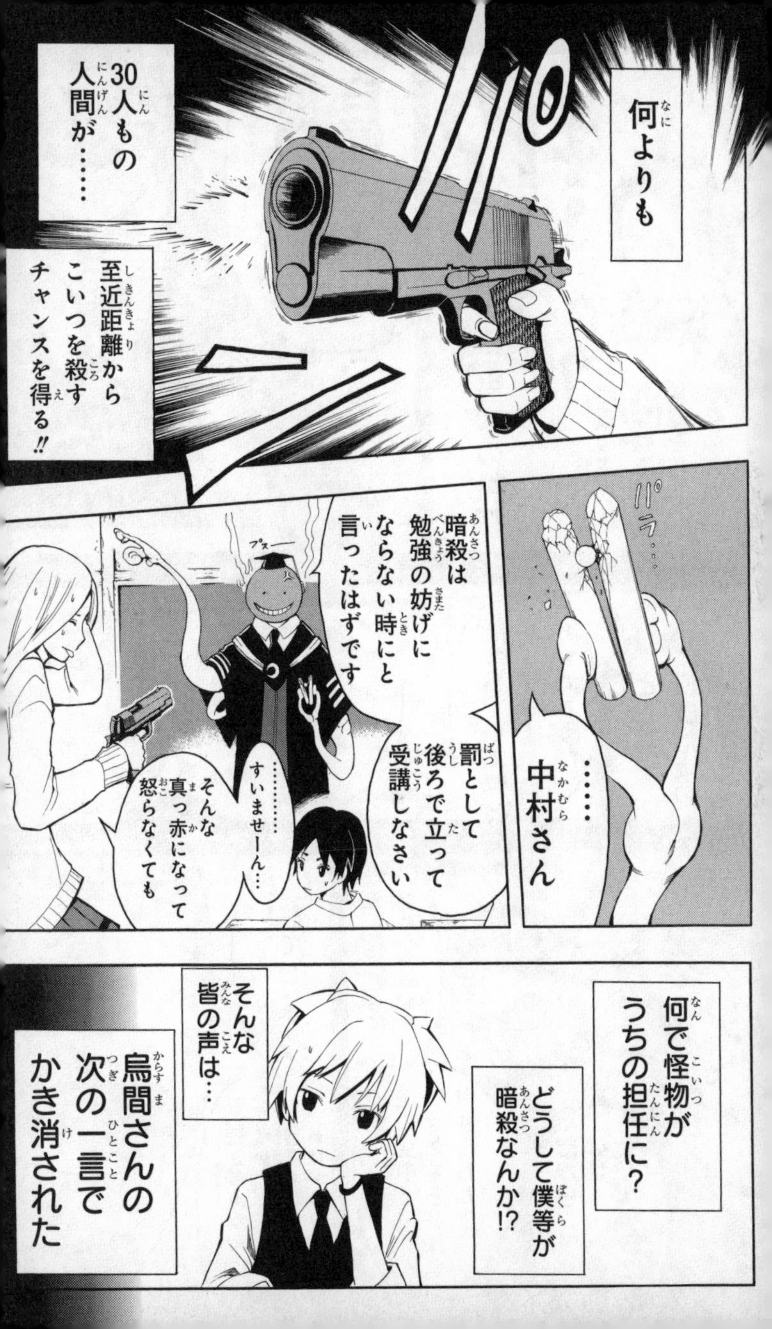
何《なに》よりも
30人《にん》もの人間《にんげん》が……
至近距離《しきんきょり》からこいつを殺《ころ》すチャンスを得《え》る!!
パラ…
……中村《なかむら》さん
罰《ばつ》として後《うし》ろで立《た》って受講《じゅこう》しなさい
暗殺《あんさつ》は勉強《べんきょう》の妨《さまた》げにならない時《とき》にと言《い》ったはずです
プスー
………すいませーん…
そんな真《ま》っ赤《か》になって怒《おこ》らなくても
何《なん》で怪物《こいつ》がうちの担任《たんにん》に?
どうして僕等《ぼくら》が暗殺《あんさつ》なんか!?
そんな皆《みんな》の声《こえ》は…
烏間《からすま》さんの次《つぎ》の一言《ひとこと》でかき消《け》された

成功報酬《せいこうほうしゅう》は百億円《ひゃくおくえん》！
￥!?
ひゃく…
当然《とうぜん》の額《がく》だ
暗殺《あんさつ》の成功《せいこう》は冗談抜《じょうだんぬ》きで地球《ちきゅう》を救《すく》う事《こと》なのだから
幸《さいわ》いな事《こと》にこいつは君達《きみたち》をナメ切《き》っている
ニヤニヤ
見《み》ろ
緑《みどり》のしましまになった時《とき》はナメてる顔《かお》だ
どんな皮膚《ひふ》だよ!?
当然《とうぜん》でしょう
国《くに》が殺《や》れない私《わたし》を君達《きみたち》が殺《や》れるわけがない
最新鋭《さいしんえい》の戦闘機《せんとうき》に襲《おそ》われた時《とき》も…
逆《ぎゃく》に空中《くうちゅう》でワックスをかけてやりましたよ
キュキュ
だからなぜ手入《てい》れする!?

そのスキをあわよくば君達《きみたち》に突《つ》いて欲《ほ》しい
君達《きみたち》には無害《むがい》でこいつには効《き》く弾《たま》とナイフを支給《しきゅう》する
君達《きみたち》の家族《かぞく》や友人《ゆうじん》には絶対《ぜったい》に秘密《ひみつ》だ
とにかく時間《じかん》がない
地球《ちきゅう》が消《き》えれば逃《に》げる場所《ばしょ》などどこにも無《な》い！
そういう事《こと》です
さあ皆《みな》さん
残《のこ》された一年《いちねん》を有意義《ゆうぎ》に過《す》ごしましょう！
キーン
コーン
カーン
コーン…

昼休《ひるやす》みですね先生《せんせい》ちょっと中国《ちゅうごく》行《い》って麻婆豆腐《マーボーどうふ》食《た》べてきます
暗殺希望者《あんさつきぼうしゃ》がもしいれば携帯《けいたい》で呼《よ》んで下《くだ》さい
ドシュッ
キィィイイン
マッハ20だから……ええと
麻婆《マーボー》の本場《ほんば》四川省《しせんしょう》まで10分《ぷん》くらい
確《たし》かにあんなもんミサイルでも落《お》とせんわな

しかもあのタコ 音速飛行中《おんそくひこうちゅう》に テストの採点《さいてん》まで してるんだぜ
サラ サラ
マジ!?
うん
俺《おれ》なんか イラスト付《つ》きで ほめられた
理想の解答!! タコ二重丸!!
てかあいつ 何気《なにげ》に 教《おし》えるの 上手《うま》くない?
わかるー
私《わたし》放課後《ほうかご》に 暗殺《あんさつ》行《い》った時《とき》 ついでに数学《すうがく》 教《おそ》わってさぁ
次《つぎ》のテスト 良《よ》かったもん
…ま
でもさ
しょせん俺《おれ》ら E組《イーぐみ》だしな
頑張《がんば》っても 仕方《しかた》ないけど
――そう
NEW HOLLOW ENGLISH

タコ型《がた》の超生物《ちょうせいぶつ》で
暗殺《あんさつ》の標的《ターゲット》なのに
化学
あの先生《せんせい》は何故《なぜ》か普通《ふつう》に先生《せんせい》してる
僕等《ぼくら》も同《おな》じ
即席《そくせき》の殺《ころ》し屋《や》であるのを除《のぞ》けば普通《ふつう》の生徒《せいと》だ
…けど
僕等《ぼくら》E組《イーぐみ》は…
少《すこ》しだけ普通《ふつう》と違《ちが》う
…おい渚《なぎさ》
ザッ

ちょっと来《こ》いよ
暗殺《あんさつ》の計画《けいかく》進《すす》めようぜ
……
うん
あのタコ機嫌《きげん》によって顔《かお》の色《いろ》が変《か》わるだろ
観察《かんさつ》しとけって言《い》ったやつできてるか？
……一応《いちおう》
余裕《よゆう》な時《とき》は緑《みどり》のしましまなのは覚《おぼ》えてるよね

生徒《せいと》の解答《かいとう》が間違《まちが》ってたら暗《くら》い紫《むらさき》
A あ
K きは
B ばら
'88
正解《せいかい》だったら明《あか》るい朱色《しゅいろ》
A 秋山
K 清源
B バークレオ
'38
面白《おもしろ》いのは昼休《ひるやす》みの後《あと》で…
俺《おれ》は知《し》らなくていーんだよ
作戦《さくせん》がある
あいつが一番《いちばん》「油断《ゆだん》」してる顔《かお》の時《とき》だ
おまえが刺《さ》しに行《い》け
…僕《ぼく》が？
で でも…
いい子《こ》ぶってんじゃねーよ
ズッ
俺等《おれら》はE組《イーぐみ》だぜ？

進学校《ここ》の勉強《レベル》についてけなかった脱落組《だつらくぐみ》
通称《つうしょう》「エンドのE組《イーぐみ》」
旧校舎
毎日《まいにち》山《やま》の上《うえ》の隔離校舎《かくりこうしゃ》まで通《かよ》わされて
あらゆる面《めん》でカスみたいに差別《さべつ》される
ガシッ
落《お》ちこぼれの俺等《おれら》が百億円稼《ひゃくおくえんかせ》ぐチャンスなんて…
社会《しゃかい》に出《で》たってこの先一生《さきいっしょう》回《まわ》ってこねえぞ
ズイ
脱《ぬ》け出《だ》すんだよ
このクソみてえな状況《じょうきょう》から

たとえ…
どんな手《て》を使《つか》ってもな
しくじんなよ 渚《なぎさ》く〜〜〜ん
……
ギャハハハハ
渚《なぎさ》の奴《やつ》 E組《イーぐみ》行《い》きだってよ
うわ… 終《お》わったなアイツ

俺《おれ》 あいつのアドレス消《け》すわー…

同《おな》じレベルと思《おも》われたくねーし
旧校舎 1km
本校舎 受付30m
転級通知
潮田 渚 殿
あなたの学業成績は当校の基準に達しないため、特別強化クラスへの移動を指示します。

ズ
ボ
ボ
わっ!!
…おかえり　先生《せんせい》
どうしたの　そのミサイル
お土産《みやげ》です
日本海《にほんかい》で　自衛隊《じえいたい》に　待《ま》ち伏《ぶ》せされて
……
大変《たいへん》ですね　標的《ターゲット》だと
いえいえ
ゴト
皆《みんな》から　狙《ねら》われるのは…
力《ちから》を　持《も》つ者《もの》の　証《あかし》ですから
!

さ
五時間目《ごじかんめ》を始《はじ》めますよ
……
…はい
先生《せんせい》には
わからないよね
皆《みんな》から暗殺《あんさつ》の標的《ターゲット》にされるって事《こと》は…
裏返《うらがえ》せば皆《みんな》に実力《ちから》を認《みと》められているって事《こと》だ
そんな怪物《かいぶつ》に
期待《きたい》も警戒《けいかい》もされなくなった
ドクン…
認識《にんしき》さえされない人間《にんげん》の気持《きも》ちなんて

ドクン
お前《まえ》のお陰《かげ》で担任《オレ》の評価《ひょうか》まで落《お》とされたよ
唯一《ゆいいつ》良《よ》かったのは…
ドクン
ドクン
もうお前《まえ》を見《み》ずに済《す》むことだ
ドクン
殺《や》れるかもしれない
だって
この怪物《せんせい》にも暗殺者《ぼく》の姿《すがた》は見《み》えてないから

お題《だい》にそって短歌《たんか》を作《つく》ってみましょう
ラスト七文字《ななもじ》を「触手《しょくしゅ》なりけり」で締《し》めて下《くだ》さい
書《か》けた人《ひと》は先生《せんせい》のところへ持《も》ってきなさい
チェックするのは文法《ぶんぽう》の正《ただ》しさと触手《しょくしゅ》を美《うつく》しく表現《ひょうげん》できたか
花さそふ嵐の庭の雪ならで
はえゆくものは触手なりけり
出来《でき》た者《もの》から今日《きょう》は帰《かえ》ってよし！
触手って季語？
さぁ…

先生《せんせい》しつもーん
何《なん》ですか茅野《かやの》さん
…?
今《いま》さらだけどさあ
先生《せんせい》の名前《なまえ》なんて言《い》うの?
他《ほか》の先生《せんせい》と区別《くべつ》する時《とき》不便《ふべん》だよ
名前《なまえ》…ですか
名乗《なの》るような名前《なまえ》はありませんねぇ
なんなら皆《みな》さんでつけて下《くだ》さい
今《いま》は課題《かだい》に集中《しゅうちゅう》ですよ
はーい
プシュ――…

ガタッ
お
もうできましたか
渚君《なぎさくん》
ニヤリ
ザッ…
昼飯《ひるめし》の後《あと》で僕等《ぼくら》が眠《ねむ》くなる頃《ころ》に
ザッ
ザッ
先生《せんせい》の顔《かお》がうすいピンクになる時《とき》がある
茅野《かやの》の質問《しつもん》への反応《はんのう》も少《すこ》し遅《おく》れた
はっ
多分先生《たぶんせんせい》も一番油断《いちばんゆだん》する時間《じかん》なんだ

ドクン
渚《なぎさ》…
この進学校《しんがくこう》で落《お》ちこぼれたE組《ぼくら》は思《おも》う
殺《や》る気《き》か!!
ドクン
「どこかで見返《みかえ》さなきゃ
ドクン
〝やれば出来《でき》る〟と親《おや》や友達《ともだち》や先生達《せんせいたち》を」
〝殺《や》れば出来《でき》る〟と
ドクン

認《みと》めさせなきゃ
…言《い》ったでしょう
もっと工夫《くふう》を

どんな手《て》を使《つか》っても
ふわり
しま…
!
ギュッ
BB《ビービー》弾《だん》グレネード!!
特製《とくせい》のな!!
もらった!!

ッしゃあ やったぜ!!
百億《ひゃくおく》いただきィ!!
ダダッ
ざまァ!!
まさかこいつも自爆《じばく》テロは予想《よそう》してなかったろ!!
ちょっと寺坂《てらさか》 渚《なぎさ》に何《なに》持《も》たせたのよ!
あ?
オモチャの手榴弾《しゅりゅうだん》だよ
ただし火薬《かやく》を使《つか》って威力《いりょく》を上《あ》げてる
三百発《さんびゃっぱつ》の対先生弾《たいせんせいだん》がすげえ速《はや》さで飛《と》び散《ち》るように
なっ…
人間《にんげん》が死《し》ぬ威力《いりょく》じゃねーよ
俺《おれ》の百億《ひゃくおく》で治療費《ちりょうひ》ぐらい払《はら》ってやらァ

無傷《むきず》…？
火傷《やけど》ひとつ負《お》ってないのか？
…う…
それになんだ渚《なぎさ》をおおうこの膜《まく》
先生《タコ》の死体《したい》につながって…
ボロ…
実《じつ》は先生《せんせい》月《つき》に一度《いちど》ほど脱皮《だっぴ》をします
ズ
ズ
ズ
ズ
ズ
脱《ぬ》いだ皮《かわ》を爆弾《ばくだん》に被《かぶ》せて威力《いりょく》を殺《ころ》した
つまりは月《つき》イチで使《つか》える奥《おく》の手《て》です
ズ

先生《せんせい》の顔色《かおいろ》は
ビキ…
ビキ…
顔色《かおいろ》を見《み》るまでもなく
真《ま》っ黒《くろ》
ビキ
ビキ
ド怒《いか》りだ
ビキ
寺坂《てらさか》吉田《よしだ》村松《むらまつ》
首謀者《しゅぼうしゃ》は君等《きみら》だな
えっ
いっいや…
渚《なぎさ》が勝手《かって》に

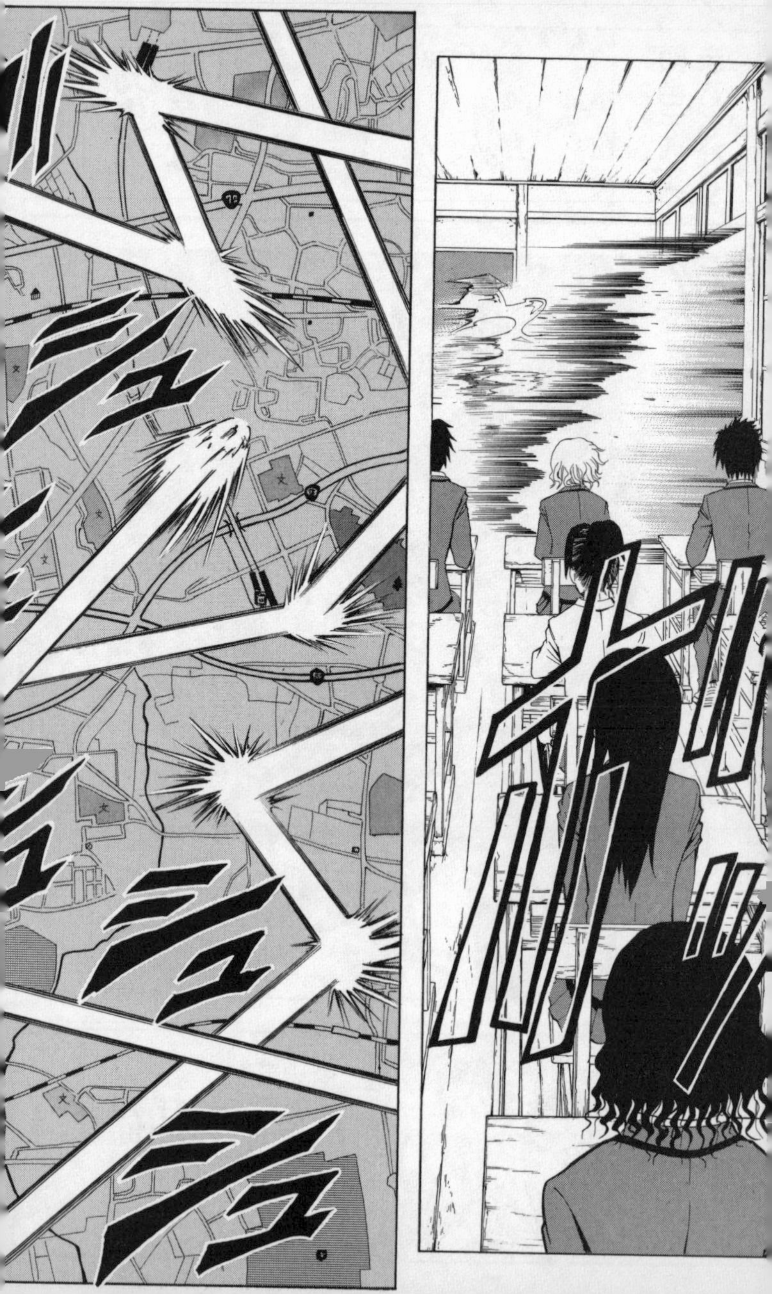
ミュ
ミュ
ミュ
ミュ

ゴト
ゴン
パタ
え…
あ…
!!
吉田
村松
寺坂
俺等《おれら》ん家《ち》の表札《ひょうさつ》!?
次《つぎ》また今《いま》の方法《ほうほう》で暗殺《あんさつ》に来《き》たら
政府《せいふ》との契約《けいやく》ですから先生《せんせい》は決《けっ》して君達《きみたち》に危害《きがい》は加《くわ》えないが
君達《きみたち》以外《いがい》には何《なに》をするかわかりませんよ
バラ
バラ
バラ
バラ
KURAHASHI
SUGINO
MAEHA

ヌルフフ
家族《かぞく》や友人《ゆうじん》……いや
君達以外《きみたちいがい》を地球《ちきゅう》ごと消《け》しますかねぇ
五秒間《ごびょうかん》で皆悟《みんなさと》った
〝地球《ちきゅう》の裏《うら》でも逃《に》げられない〟と
どうしても逃《に》げたければ…
この先生《せんせい》を殺《ころ》すしか!!
……!!

なっ…
何《なん》なんだよ
テメェ…
迷惑《めいわく》
なんだよォ!!
いきなり来《き》て
地球爆破《ちきゅうばくは》とか
暗殺《あんさつ》しろとか…
迷惑《めいわく》な奴《やつ》に
迷惑《めいわく》な殺《ころ》し方《かた》して
何《なに》が
悪《わる》いんだよォ!!
迷惑《めいわく》?
とんでもない
君達《きみたち》の
アイディア自体《じたい》は
すごく良《よ》かった
シュル

ペタン
特《とく》に渚君《なぎさくん》
君《きみ》の肉迫《にくはく》までの自然《しぜん》な体運《からだはこ》びは百点《ひゃくてん》です
先生《せんせい》は見事《みごと》に隙《すき》を突《つ》かれました
……!!
ただし!
ピキッ
寺坂君達《てらさかくんたち》は渚君《なぎさくん》を
渚君《なぎさくん》は自分《じぶん》を大切《たいせつ》にしなかった
…!!
そんな生徒《せいと》に暗殺《あんさつ》する資格《しかく》はありません!

人《ひと》に笑顔《えがお》で胸《むね》を張《は》れる暗殺《あんさつ》をしましょう
君達全員《きみたちぜんいん》それが出来《でき》る力《ちから》を秘《ひ》めた有能《ゆうのう》な暗殺者《アサシン》だ
暗殺対象《ターゲット》である先生《せんせい》からのアドバイスです

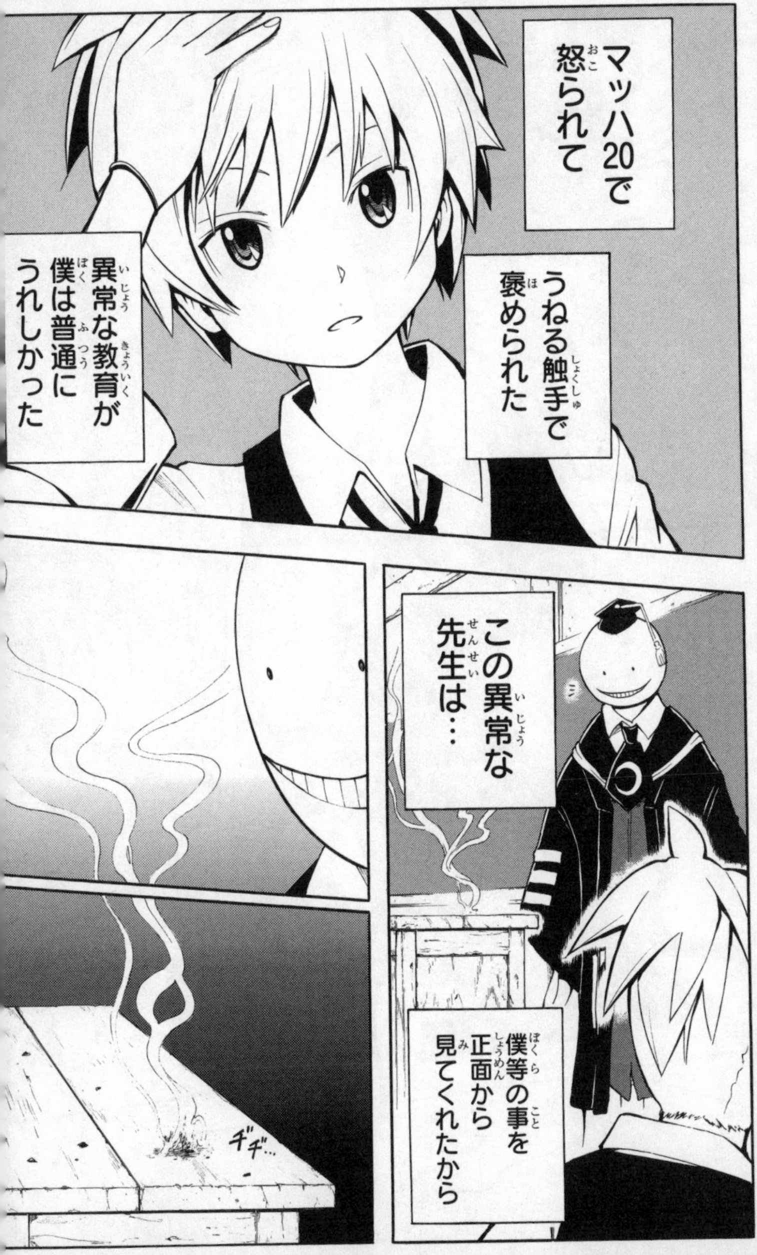

マッハ20で怒《おこ》られて
うねる触手《しょくしゅ》で褒《ほ》められた
異常《いじょう》な教育《きょういく》が僕《ぼく》は普通《ふつう》にうれしかった
この異常《いじょう》な先生《せんせい》は…
僕等《ぼくら》の事《こと》を正面《しょうめん》から見《み》てくれたから
ヂヂ…

あなたの時間《じかん》をくれるなら…
あの子達《こたち》を教《おし》えてあげて
……
なんて素敵《すてき》な触手《しょくしゅ》…!!
この手《て》なら…
…きっとあなたは…
素敵《すてき》な
教師《きょうし》に
ギュッ

…さて問題《もんだい》です渚君《なぎさくん》
先生《せんせい》は殺《ころ》される気《き》などみじんも無《な》い
皆《みな》さんと3月《がつ》までエンジョイしてから地球《ちきゅう》を爆破《ばくは》です
それが嫌《いや》なら君達《きみたち》はどうしますか？
暗殺《あんさつ》なんてした事《こと》無《な》いし
僕等《ぼくら》には他《ほか》にすべき事《こと》が沢山《たくさん》ある
グッ
…けど思《おも》った

…その前《まえ》に
先生《せんせい》を殺《ころ》します
この先生《せんせい》なら…
殺意《さつい》さえも受《う》け止《と》めてくれるって
ならば今《いま》殺《や》ってみなさい
殺《ころ》せた者《もの》から今日《きょう》は帰《かえ》って良《よ》し!!
僕等《ぼくら》は殺《ころ》し屋《や》。
よっこいせ
標的《ターゲット》は先生《せんせい》。

殺《ころ》せない…先生《せんせい》…
あ 名前《なまえ》
「殺《ころ》せんせー」は？
殺《ころ》せんせーと僕等《ぼくら》の暗殺教室《あんさつきょうしつ》
今撃《いまう》っても表札《ひょうさつ》と一緒《いっしょ》に手《て》入《い》れされるわ
帰《かえ》れねえ…
始業《しぎょう》のベルは明日《あす》も鳴《な》る

殺《ころ》せんせー

生年月日《せいねんがっぴ》	不明《ふめい》
身長《しんちょう》	背《せ》のびしたら3m《メートル》ぐらい
体重《たいじゅう》	見《み》た目《め》より軽《かる》いっぽい
経歴《けいれき》	超破壊生物《ちょうはかいせいぶつ》→E組《イーぐみ》担任《たんにん》
趣味《しゅみ》、特技《とくぎ》	超音速巡航《ちょうおんそくじゅんこう》
座右《ざゆう》の銘《めい》	学殺一体《がくさついったい》
弱点《じゃくてん》	不明《ふめい》
長所《ちょうしょ》	描《か》くのがめっちゃ簡単《かんたん》

第《だい》2話《わ》 野《や》球《きゅう》の時《じ》間《かん》

極《ごく》秘《ひ》暗《あん》殺《さつ》依《い》頼《らい》書《しょ》

一《いち》.月《つき》を破壊《はかい》した元凶《げんきょう》である。
一《いち》.1年後《ねんご》には地球《ちきゅう》の破壊《はかい》を目論《もくろ》んでいる。
一《いち》.想像《そうぞう》を絶《ぜっ》する能力《のうりょく》の数々《かずかず》に警戒《けいかい》されたし。
一《いち》.暗殺成功者《あんさつせいこうしゃ》には、報酬《ほうしゅう》として百億円《ひゃくおくえん》を支払《しはら》うものとする。

アメリカでも
月《つき》の爆発《ばくはつ》の
話題《わだい》ばかり
チュー
The K.Y. Times
Moon Havoc Continues...
もっと楽《たの》しい
一面記事《いちめんきじ》が
欲《ほ》しいですねぇ
毎朝《まいあさ》HR《ホームルーム》前《まえ》は
校舎裏《こうしゃうら》での
くつろぎが
あいつの日課《にっか》
マッハ20で
ハワイに寄《よ》って
買《か》ったドリンクと
英字新聞《えいじしんぶん》で
おまえの
情報通《じょうほうどお》りだ
サンキュー
渚《なぎさ》!
うん
頑張《がんば》ってね
杉野《すぎの》
おう!
百億円《ひゃくおくえん》は
俺《おれ》のモノだ!!
グッ

僕等《ぼくら》は、
ザッ…
殺《ころ》し屋《や》。
標的《ターゲット》は、
先生《せんせい》。

おはようございます
渚君《なぎさくん》
杉野君《すぎのくん》
さ
あいさつは大《おお》きな声《こえ》で!
パサ
…
おはようございます
殺《ころ》せんせー
え!?
ええ!?
先生《せんせい》の弱点《じゃくてん》・
対先生《たいせんせい》BB《ビービー》弾《だん》を
ボールに埋《う》めこむとは
良《い》いアイディアです
シュウウウ…
これなら
エアガンと違《ちが》い
発砲音《はっぽうおん》もない

スロー再生《さいせい》
ですが…
先生《せんせい》にボールが届《とど》くまでヒマだったし…
直《じか》に触《さわ》ると先生《せんせい》の細胞《さいぼう》が崩《くず》れてしまう
キィ
ザンッ
根性
バ
シュ
カタ
根性
根性
ガサゴソ

…そんな訳《わけ》で
用具室《ようぐしつ》までグローブ取《と》りに行《い》ってました
…!!
殺《ころ》せるといいですねぇ
卒業《そつぎょう》までに
さ
HR《ホームルーム》の時間《じかん》ですよ
…はい

僕等《ぼくら》に与《あた》えられた任務《にんむ》は…
来年《らいねん》までにこの先生《せんせい》を殺《ころ》すこと
成功報酬《せいこうほうしゅう》は百億円《ひゃくおくえん》！
渚《なぎさ》ね
杉野《すぎの》今朝《けさ》暗殺失敗《あんさつしっぱい》したんだって？
うん
それからあいつすっかり元気無《げんきな》くてさ
あんなに落《お》ちこむ事《こと》ないのにね
今《いま》まで誰《だれ》も成功《せいこう》してないんだから
殺《ころ》せない先生《せんせい》
ついたあだ名《な》が「殺《ころ》せんせー」

どうだ
奴《やつ》を殺《ころ》す糸口《いとぐち》はつかめそうか？
防衛省特務部《ぼうえいしょうとくむぶ》
烏間惟臣《からすまただおみ》
無理《むり》ですよ烏間《からすま》さん
速《はや》すぎるってあいつ
今日《きょう》の放課後《ほうかご》の予定《よてい》知ってる？
ニューヨークまでスポーツ観戦《かんせん》だぜ
マッハ20で飛《と》んでく奴《やつ》なんて殺《ころ》せねッスよ
ゴオッ
その通《とお》りどんな軍隊《ぐんたい》にも不可能《ふかのう》だ
だが君達《きみたち》だけはチャンスがある
奴《やつ》は何故《なぜ》か君達《きみたち》の教師《きょうし》だけは欠《か》かさないのだ

放《ほう》っておけば来年《らいねん》3月《がつ》
変装
奴《やつ》は必《かなら》ず地球《ちきゅう》を爆発《ばくはつ》させる
ポリポリ
削《けず》り取《と》られたあの月《つき》を見《み》ればわかる通《とお》り…
その時《とき》 人類《じんるい》は1人《り》たりとも助《たす》からない
奴《やつ》は生《い》かしておくには危険《きけん》すぎる!!
この教室《きょうしつ》が奴《やつ》を殺《ころ》せる現在唯一《げんざいゆいいつ》の場所《ばしょ》なのだ!!

落《お》ちこぼれクラスの僕等《ぼくら》E組《イーぐみ》に与《あた》えられたのは…
地球《ちきゅう》を救《すく》うヒーローになるチャンス
けどわからない
なんで先生《せんせい》が地球《ちきゅう》を爆破《ばくは》しようとしているのか
どうしてそんな時《とき》に…
僕等《ぼくら》のクラスに担任《たんにん》としてやってきたのか
キーン
コーン
カーン
コーン

はぁ…
磨《みが》いておきましたよ杉野君《すぎのくん》
スッ
…殺《ころ》せんせー
何食《なにく》ってんの？
バリバリ
昨日《きのう》ハワイで買《か》っておいたヤシの実《み》です
食《た》べますか？
飲《の》むだろフツー
昨日《きのう》の暗殺《あんさつ》は良《い》い球《たま》でしたね
よくゆーぜ
考《かん》えてみりゃ俺《おれ》の球速《きゅうそく》でマッハ20の先生《せんせい》に当《あ》たるはずねー
シュッ
君《きみ》は野球部《やきゅうぶ》に？
前《まえ》はね
前《まえ》は？

部活《ぶかつ》禁止《きんし》なんだ
この隔離校舎《かくりこうしゃ》のE組《イーぐみ》じゃ
成績悪《せいせきわる》くてE組《イーぐみ》に落《お》ちたんだから…
とにかく勉強《べんきょう》に集中《しゅうちゅう》しろってさ
それはまたずいぶんな差別《さべつ》ですねぇ
…でも
もういいんだ
昨日見《きのうみ》たろ？
遅《おそ》いんだよ
俺《おれ》の球《たま》

遅《おそ》いから バカスカ 打《う》たれて
レギュラー 降《お》ろされて
それから 勉強《べんきょう》にも やる気《き》 無《な》くして
今《いま》じゃ エンドの E組《イーぐみ》さ
杉《すぎ》野《の》君《くん》
先生《せんせい》から アドバイスを あげましょう
殺《ころ》せんせーに 課題提出《かだいていしゅつ》 しなきゃ
…けど先生《せんせい》 杉野《すぎの》と何《なに》 話《はな》してんだろ
タタッ
まさか
昨日《きのう》の暗殺《あんさつ》を 根《ね》に持《も》って からんでたり…
ひょこ

思《おも》ってたより からまれてる!!
何《なに》してんだよ 殺《ころ》せんせー!!
生徒《せいと》に危害《きがい》 加《くわ》えないって 契約《けいやく》じゃ なかったの!?
ザザ

杉野君《すぎのくん》 昨日《きのう》見《み》せた クセのある 投球《とうきゅう》フォーム
メジャーに行《い》った 有田投手《ありたとうしゅ》を マネていますね
…!!
でもね 触手《しょくしゅ》は 正直《しょうじき》です
ドサ
彼《かれ》と比《くら》べて君《きみ》は 肩《かた》の筋肉《きんにく》の 配列《はいれつ》が悪《わる》い
ARI 4
マネをしても 彼《かれ》のような 豪速球《ごうそっきゅう》は 投《な》げれませんねぇ
な… なんで先生《せんせい》に そんな断言《だんげん》 できるんだよっ…

きのう本人《ほんにん》に確《たし》かめて来《き》ましたから
The N.Y. Times
TENTACLES ATTACK
From Underground
パサ
"有田《ありた》投手《とうしゅ》が触手《しょくしゅ》責《ぜ》めに!!"
"My wife is slut"
確《たし》かめたんならしょうがない!!
……
ふざけんな触手!!! 有田
その状態《じょうたい》でサイン頼《たの》んだの!?
そりゃ怒《おこ》るよ!!
…そっかやっぱり才能《さいのう》が違《ちが》うんだなぁ…
一方《いっぽう》で

肘《ひじ》や手首《てくび》の柔《やわ》らかさは君《きみ》の方《ほう》が素晴《すば》らしい
鍛《きた》えれば彼《かれ》を大《おお》きく上回《うわまわ》るでしょう
いじくり比《くら》べた先生《せんせい》の触手《しょくしゅ》に間違《まちが》いはありません
シュルン
才能《さいのう》の種類《しゅるい》はひとつじゃない
君《きみ》の才能《さいのう》に合《あ》った暗殺《あんさつ》を探《さが》して下《くだ》さい

肘《ひじ》や手首《てくび》が…
俺《おれ》の方《ほう》が…
俺《おれ》の…
才能《さいのう》か…
ザッ
ザッ
…!!
殺《ころ》せんせー!
まさか…
杉野《すぎの》に助言《アドバイス》をあげるためにニューヨークへ?
タッ
もちろん
先生《せんせい》ですから
普通《ふつう》の先生《せんせい》はそこまでしてくれないよ
ましてこれから地球《ちきゅう》を消滅《しょうめつ》させる殺《ころ》せんせーが

……
先生《せんせい》はね
渚君《なぎさくん》
ある人《ひと》との約束《やくそく》を守《まも》るために君達《きみたち》の先生《せんせい》になりました
私《わたし》は地球《ちきゅう》を滅《ほろ》ぼしますが
その前《まえ》に君達《きみたち》の先生《せんせい》です

君達《きみたち》と真剣《しんけん》に向《む》き合《あ》う事《こと》は…
地球《ちきゅう》の終《お》わりよりも重要《じゅうよう》なのです
Great!!!
96
April 23
My favorite food
Yesterday I want to a Sushi Shop with my family to coreblate the birthday on my father(Sushi is the most favorite food of my father, and of course me!) There is a lot of attractive ingredients in the menu of the Sushi Shop, but my most favorite ingredient is octopus. Its taste and texture is so wanderful that I of course ordered it yesterday. And when I ate it, my teacher appeared in my mind because his tentacle looks like the octpus. I wonder the taste of my teader's tentacle…
celebrate
ingredients
That's right!
I love sushi too!!
My favorite ingredient is botan-ebi.
文法に大きな誤りも無く、
オチもつき、素晴らしい日記です!!
by 殺せんせー
…
殺《ころ》せんせー
採点《さいてん》スピード誇示《こじ》するのはわかるけどさ
ノートの裏《うら》に変《へん》な問題《もんだい》書《か》き足《た》すのはやめてくんない?
にゅやッ
ボーナス感《かん》があって喜《よろこ》ぶかなと…
おまけ♡
この触手がいまいち萌えない理由を英語で述べよ.
むしろペナルティだよ

そんな訳《わけ》で
君達《きみたち》も生徒《せいと》と暗殺《あんさつ》を真剣《しんけん》に楽《たの》しんで下《くだ》さい
くるん
ムシャァ
ムシャ
ま…
暗殺《あんさつ》の方《ほう》は無理《むり》と決《き》まっていますがねぇ
──僕等《ぼくら》の先生《せんせい》は
超《ちょう》スピードと万能《ばんのう》の触手《しょくしゅ》を備《そな》えていて
正直《しょうじき》殺《ころ》せる気《き》がしない

うわっ
バァーー
すごいよ 杉野《すぎの》!!
消《き》えたみたいに 変化《へんか》した!!
ヘッへ〜〜
ヒジと手首《てくび》を フルに活《い》かした 変化球《へんかきゅう》を 習得中《しゅうとくちゅう》だ!!
遅《おそ》い速球《ストレート》も こいつと2択《たく》で 速《はや》く見《み》せれる
あいつにとっちゃ アクビが出《で》るような 球《たま》だろーけど
でもさ 渚《なぎさ》
俺《おれ》 続《つづ》けるよ
野球《やきゅう》も 暗殺《あんさつ》も

うん
——でも
不思議《ふしぎ》と僕等《ぼくら》を殺《や》る気《き》にさせる
殺《ころ》せんせー!!
ちょっと殺《ころ》したいんだけど来《き》てくんない？
ヌルフフフフフ懲《こ》りませんねぇ
角煮まんじゅう
殺《ころ》せんせーの暗殺教室《あんさつきょうしつ》はちょっと楽《たの》しい

E-11《イー》 **潮田《しおた》 渚《なぎさ》**

- 誕生日《たんじょうび》　7月《がつ》20日《か》生《うまれ》
- 身長《しんちょう》　159cm《センチメートル》
- 体重《たいじゅう》　48kg《キログラム》
- 得意科目《とくいかもく》　英語《えいご》
- 苦手科目《にがてかもく》　理科《りか》
- 趣味《しゅみ》、特技《とくぎ》　情報収集《じょうほうしゅうしゅう》
- 将来《しょうらい》の目標《もくひょう》　特《とく》に無《な》し
- 食性《しょくせい》　ド草食《そうしょく》
- 百億円獲得《ひゃくおくえんかくとく》できたら　身長《しんちょう》を買《か》いたい

いたいた
第《だい》3話《わ》　サービスの時間《じかん》
シャリ
シャリ
今日《きょう》のおやつは北極《ほっきょく》の氷《こおり》でかき氷《ごおり》だとさ
コンビニ感覚《かんかく》で北極《ほっきょく》行《い》くなよあのタコ
行《い》くぞ
百億円《ひゃくおくえん》は山分《やまわ》けだ!!
殺《ころ》せんせー!!
ザッ
かき氷《ごおり》俺等《おれら》にも食《く》わせてよ!!
俺も俺もー
せんせー
…おお
じーん
生徒達《せいとたち》が心《こころ》を開《ひら》いてくれている!!
あんなにも笑顔《えがお》で…

スッ
シャッ
第《だい》3話《わ》
サービスの時《じ》間《かん》
こんなにも殺気《さっき》立《だ》って!!

ザ
ザ
でもね
ザ
笑顔《えがお》が少々《しょうしょう》
わざとらしい
油断《ゆだん》させるには
足《た》りませんねぇ
こんな危《あぶ》ない
対先生《たいせんせい》ナイフは
置《お》いといて
ボト
ボト
えっ…

花《はな》でも愛《め》でて
良《い》い笑顔《えがお》から学《まな》んで下《くだ》さい
…!!
ん?
ひどい殺《ころ》せんせー
大切《たいせつ》に育《そだ》ててやっと咲《さ》いたのに
す すいません
今新《いまあたら》しい球根《きゅうこん》を…
ていうか殺《ころ》せんせー!!
この花《はな》クラスの皆《みんな》で育《そだ》てた花《はな》じゃないですか!!
にゅやッ
そ そーなんですか!?
シュバッ
買《か》って来《き》ました
シュバッ

マッハで植《う》えちゃだめだかんね!!
承知《しょうち》しました!!
1個《こ》1個《こ》いたわって!!
ザク
ザク
はい!!
なー…
あいつ地球《ちきゅう》を滅《ほろ》ぼすって聞《き》いてッけど
お おう…
その割《わり》にはチューリップ植《う》えてんな
…チッ
モンスターが良《い》い子《こ》ぶりやがって
渚《なぎさ》
何《なに》メモってんの?
先生《せんせい》の弱点《じゃくてん》を書《か》き溜《た》めてこうと思《おも》ってさ
そのうち暗殺《あんさつ》のヒントになるかもって
…ふぅん

…で
その弱点《じゃくてん》
暗殺《あんさつ》に
役立《やくだ》つの？
殺せんせーの弱点
カッコつけると
ボロが出る
……
僕等《ぼくら》は、
殺《ころ》し屋《や》。
椚《くぬぎ》ヶ《が》丘中学校《おかちゅうがっこう》
3年《ねん》E組《イーぐみ》は
暗殺教室《あんさつきょうしつ》
——そして
理事長室
防衛省《ぼうえいしょう》から
通達済《つうたつず》みと
思《おも》いますが…
明日《あした》から私《わたし》も
体育教師《たいいくきょうし》で
E組《イーぐみ》の副担任《ふくたんにん》を
させて頂《いただ》きます

奴《やつ》の監視《かんし》はもちろんですが…
生徒達《せいとたち》には技術面《ぎじゅつめん》精神面《せいしんめん》でサポートが必要《ひつよう》です
教員免許《きょういんめんきょ》は持《も》ってますのでご安心《あんしん》を
ご自由《じゆう》に
生徒達《せいとたち》の学業《がくぎょう》と安全《あんぜん》を第一《だいいち》にね
理事長
椚ヶ丘中学校《くぬぎがおかちゅうがっこう》の僕等《ぼくら》以外《いがい》は…
名《な》だたる進学校《しんがくこう》

ものわかりのいい理事長《りじちょう》ですねぇ
フン
見返《みかえ》りとして国《くに》が大金《たいきん》を積《つ》んでるしな
だが都合《つごう》が良《い》いのは確《たし》かだ
地球《ちきゅう》を壊《こわ》せる怪物《かいぶつ》がいて
しかもそいつは軍隊《ぐんたい》でも殺《ころ》せない上《うえ》に教師《きょうし》をやってる
こんな秘密《ひみつ》を知《し》ってるのは我々《われわれ》国《くに》と
ここの理事長《りじちょう》と
あの校舎《こうしゃ》のE組《イーぐみ》の生徒《せいと》だけでいい

やっぱ これ以上《いじょう》 成績《せいせき》落《お》ちたら E組《イーぐみ》行《い》きかも
マジか⁉
あそこ落《お》ちたら ほとンど 絶望《ぜつぼう》だぞ
学食《がくしょく》も無《な》い 便所《べんじょ》も汚《きたな》い 隔離校舎《かくりこうしゃ》で
俺等《おれら》からも 先生《せんせい》からも クズ扱《あつか》い
超《ちょう》いい成績《せいせき》 出《だ》さないと 戻《もど》って来《こ》れない
まさに エンドの E組《イーぐみ》‼
あそこ落《お》ちる ぐらいなら 死《し》ぬな俺《おれ》
だよな…
E組《あいつら》みたく ならないよう 頑張《がんば》んなきゃ

なるほど極少数《ごくしょうすう》の生徒《せいと》を激《はげ》しく差別《さべつ》する事《こと》で…
大半《たいはん》の生徒《せいと》が緊張感《きんちょうかん》と優越感《ゆうえつかん》を持《も》ち頑張《がんば》る訳《わけ》か
合理的《ごうりてき》な仕組《しく》みの学校《がっこう》だし
我々《われわれ》としてもあの隔離校舎《かくりこうしゃ》は極秘暗殺任務《ごくひあんさつにんむ》にうってつけだが
切《き》り離《はな》された生徒達《エンドたち》は…
たまったものではないだろうな

ザッ
ザッ
あ 烏間《からすま》さん!
こんにちわ!!
こんにちは
明日《あした》から俺《おれ》も
教師《きょうし》として
君等《きみら》を手伝《てつだ》う
よろしく頼《たの》む
たっ
そーなんだ!!
じゃあ
これからは
烏間先生《からすませんせい》だ!!
たっ
…ところで
奴《やつ》はどこだ?
…それがさ
殺《ころ》せんせー
クラスの花壇《かだん》
荒《あ》らしちゃったんだけど
その
おわびとして
おー一い!!
棒《ぼう》とヒモ
持《も》ってきたぞー!!

ハンディキャップ暗殺《あんさつ》大会《たいかい》を開催《かいさい》してるの
ぬるん
ぬるん
パン
そこだ刺《さ》せ!!
パン
シャ
シャッ
くそっ
こんな状態《じょうたい》でヌルヌルかわしやがって
ほらおわびのサービスですよ?
ヒュ
こんな身動《みうご》きできない先生《せんせい》そう滅多《めった》にいませんよぉ
ヒュ

どう渚《なぎさ》？
うん…完全《かんぜん》にナメられてる
くっ…これはもはや暗殺《あんさつ》と呼《よ》べるのか!!
でも待《ま》てよ殺《ころ》せんせーの弱点《じゃくてん》からすると…
ヌルフフフフ無駄《むだ》ですねぇE組《イーぐみ》の諸君《しょくん》
このハンデをものともしないスピードの差《さ》
ギシ
ギシ
君達《きみたち》が私《わたし》を殺《ころ》すなど夢《ゆめ》のまた…
バキッ
あっ
ボトッ

今《いま》だ
殺《や》れーッ!!
ぎゃー
ぎゃー
ドタ
バタ
殺《ころ》せんせーの弱点《じゃくてん》①
カッコつけると
ボロが出《で》る
にゅやーーッ
しまった!!
…
弱点《じゃくてん》メモ
役《やく》に立《た》つかも
…うん
どんどん
書《か》いてこう
ちょっ…
待《ま》って
シュッ
な…
縄《なわ》と触手《しょくしゅ》が
からまって
シャッ
殺《ころ》せんせーの弱点《じゃくてん》②
テンパるのが
意外《いがい》と早《はや》い

あっ
ドシュッ
ボト
ちッくしょ
抜《ぬ》けやがった!!
ここまでは
来《こ》れないでしょう
基本性能《きほんせいのう》が
違《ちが》うんですよ
バーカバーカ
ぬー…
あと少《すこ》し
だったのに
ハア
ハア
ハア
ふーーー……
明日《あした》出《だ》す
宿題《しゅくだい》を
2倍《ばい》にします
小《ち》せぇ!!!!
殺《ころ》せんせーの弱点《じゃくてん》③
器《うつわ》が小《ちい》さい

逃《に》げた…
自分でハンデつけたくせに
バシュッ
でも今《いま》までで一番《いちばん》惜《お》しかったよね
中学生《ちゅうがくせい》が嬉々《きき》として暗殺《あんさつ》の事《こと》を語《かた》っている
この調子《ちょうし》なら殺《ころ》すチャンス必《かなら》ず来《く》るぜ!!
やーん
殺《ころ》せたら百億円《ひゃくおくえん》何《なに》に使《つか》おー♪
どう見《み》ても異常《いじょう》な空間《くうかん》だ
渚《なぎさ》
どう？
殺《ころ》せんせーは殺《ころ》せそう？

殺《ころ》すよ
殺《ころ》す気《き》じゃなきゃ
あの先生《せんせい》とは
付《つ》き合《あ》えない
―だが
不思議《ふしぎ》だ
生徒《せいと》の顔《かお》が
最《もっと》も活《い》き活《い》き
しているのは…
標的《ターゲット》が担任《たんにん》の
このE《イー》組《ぐみ》だ
ゴオッ

——事情《じじょう》は今話《いまはな》した通《とお》りです
地球《ちきゅう》の危機《きき》ゆえ秘密《ひみつ》の口外《こうがい》は絶対《ぜったい》に禁止《きんし》
もし漏《も》らせば記憶消去《きおくしょうきょ》の治療《ちりょう》を受《う》けて頂《いただ》くことに
……怖《こ》ッえ!
E組《イーぐみ》の全員《ぜんいん》に同《おな》じ説明《せつめい》をし
他《ほか》の皆《みんな》はすでに任務《にんむ》に入《はい》ってます
君《きみ》も停学《ていがく》が解《と》けたらE組《イーぐみ》に戻《もど》る
……
よって君《きみ》にも暗殺任務《あんさつにんむ》を依頼《いらい》します!

…ねぇ
このゴムみたいなナイフ本当《ほんとう》に効《き》くの？
びょん
びょん
ええ
人間《にんげん》には無害《むがい》ですが奴《やつ》への効果《こうか》は保証《ほしょう》します
…へーえ
ま人間《にんげん》じゃなくても別《べつ》にいーか
1回《かい》さぁ
先生《せんせい》って生《い》き物《もの》殺《ころ》してみたかったんだ
WANTED

椚《くぬぎ》ヶ《が》丘《おか》中《ちゅう》学《がっ》校《こう》 連《れん》絡《らく》掲《けい》示《じ》板《ばん》

椚《くぬぎ》ヶ《が》丘《おか》中《ちゅう》学《がっ》校《こう》特《とく》別《べつ》強《きょう》化《か》クラスに関《かん》する校《こう》則《そく》

成績不振《せいせきふしん》により特別強化《とくべつきょうか》クラス（以下《いか》3－E《イー》）に編入《へんにゅう》された生徒《せいと》は

○専用《せんよう》の特別校舎《とくべつこうしゃ》で生活《せいかつ》し、必要《ひつよう》なく本校舎《ほんこうしゃ》に入《はい》る事《こと》を禁《きん》ずる。

○学業《がくぎょう》に集中《しゅうちゅう》するため、部活動《ぶかつどう》や校内活動《こうないかつどう》には
制限《せいげん》を加《くわ》えるものとする。

○全《すべ》ての活動《かつどう》に関《かん》して、3－E《イー》の優先順位《ゆうせんじゅんい》は
他《ほか》の組《くみ》より常《つね》に下《した》に置《お》かれるものとする。

○3－E《イー》にて良好《りょうこう》な成績《せいせき》を修《おさ》め、努力《どりょく》が認《みと》められれば、
転級前《てんきゅうまえ》のクラスに戻《もど》る事《こと》を許可《きょか》する。

○二学期終了時《にがっきしゅうりょうじ》まで3－E《イー》に在籍《ざいせき》している生徒《せいと》は、
椚ヶ丘高校《くぬぎがおかこうこう》への内部進学《ないぶしんがく》は許可《きょか》されないものとする。

○3－E《イー》に編入《へんにゅう》された場合《ばあい》、以上《いじょう》のような様々《さまざま》な制約《せいやく》を受《う》ける事《こと》は、
入学前《にゅうがくまえ》に本人《ほんにん》と保護者《ほごしゃ》が承諾《しょうだく》した事《こと》であるので、
生徒《せいと》は自己責任《じこせきにん》として受《う》け入《い》れ、努力《どりょく》する事《こと》。

椚ヶ丘学園《くぬぎがおかがくえん》マスコット
くぬどん

第《だい》4話《わ》 基《き》礎《そ》の時《じ》間《かん》

これが殺《ころ》せんせーだ!!
肉球《にくきゅう》
なんかもちもちしてる
床《ゆか》のつまようじとかも
ペタッと拾《ひろ》える
頭《あたま》
すごく良《い》い
ほとんどの教科《きょうか》を
1人《り》で授業《じゅぎょう》できる
あと甘党《あまとう》
まぐろ解体
15時か
鮮魚
たらば
まあじ
まだい
ぬめり
頑張《がんば》ると体表《たいひょう》から
ぬめぬめしたのが出《で》る
音速飛行時《おんそくひこうじ》にも
空気抵抗《くうきていこう》をぬめらせて
わりと静《しず》かに飛《と》べるらしい
触手《しょくしゅ》
袖《そで》とか裾《すそ》の中《なか》に
あと何本入《なんぼんはい》ってるのか
本人《ほんにん》も知《し》らないっぽい

いっち　に〜　さ〜ん　し
ご〜　ろっく　しっち　はっち
晴《は》れた午後《ごご》の運動場《うんどうじょう》に響《ひび》くかけ声《ごえ》
平和《へいわ》ですねえ
殺先生
いっち　にー　さーん　し
ごー　ろーく　しっち　はっち
シャ
シャ
シャ
生徒《せいと》の武器《エモノ》が無《な》ければですが
八方向《はちほうこう》からナイフを正《ただ》しく振《ふ》れるように!!
どんな体勢《たいせい》でもバランスを崩《くず》さない!!

この時間《じかん》はどっか行《い》ってろと言《い》ったろう
おまえが体育着着てどーする
体育《たいいく》の時間《じかん》は今日《きょう》から俺《おれ》の受《う》け持《も》ちだ
追《お》い払《はら》っても無駄《むだ》だろうがな
せいぜいそこの砂場《すなば》で遊《あそ》んでろ
ひどいですよ烏間《からすま》さ…烏間先生《からすませんせい》
私《わたし》の体育《たいいく》は生徒《せいと》に評判《ひょうばん》良《よ》かったのに
うそつけよ殺《ころ》せんせー
身体能力《しんたいのうりょく》が違《ちが》いすぎんだよ
この前《まえ》もさぁ…
反復横跳《はんぷくよこと》びをやってみましょう
まず先生《せんせい》が見本《みほん》を見《み》せます

殺先生
殺先生
殺先生
まずは基本《きほん》の視覚分身《しかくぶんしん》から
慣《な》れてきたらあやとりも混《ま》ぜましょう
できるか!!
異次元《いじげん》すぎてね〜…
体育《たいいく》は人間《にんげん》の先生《せんせい》に教《おそ》わりたいわ
ガーン

…やっと暗殺対象《ターゲット》を追《お》っ払《ぱら》えた
しくしく
授業《じゅぎょう》を続《つづ》けるぞ
でも烏間先生《からすませんせい》こんな訓練《くんれん》意味《いみ》あんスか?
しかも当《とう》の暗殺対象《ターゲット》がいる前《まえ》でさ
勉強《べんきょう》も暗殺《あんさつ》も同《おな》じ事《こと》だ
基礎《きそ》は身《み》につけるほど役《やく》に立《た》つ
……?
…そうだな例《たと》えば
磯貝君《いそがいくん》前原君《まえはらくん》
そのナイフを俺《おれ》に当《あ》ててみろ

え…
いいんですか？
2人《り》がかりで？
対先生《その》ナイフなら
俺達人間《おれたちにんげん》に
怪我《けが》は無《な》い
かすりでもすれば
今日《きょう》の授業《じゅぎょう》は
終《お》わりでいい
え
…えーと…
ザッ
そんじゃ
ヒュ
ッ
ス
…!!
さあ
くっ

ヒュ
バ
ッ
ュ
このように多少《たしょう》の心得《こころえ》があれば
ヒュ
シカッ
ビシ
ガッ
素人《しろうと》２人《り》のナイフ位《くらい》は俺《おれ》でも捌《さば》ける
すごい…
くッそ

ガッ
ガッ
わッ
ゲッ
俺《おれ》に当《あ》たらないようでは
マッハ20の奴《やつ》に当《あ》たる確率《かくりつ》の低《ひく》さがわかるだろう

見《み》ろ！
今《いま》の攻防《こうぼう》の間《あいだ》に奴《やつ》は
砂場《すなば》に大阪城《おおさかじょう》を造《つく》った上《うえ》に着替《きが》えて茶《ちゃ》まで立《た》てている
腹立《はらた》つわあ～…
ニヤニヤ
グイ
クラス全員《ぜんいん》が俺《おれ》に当《あ》てられる位《くらい》になれば
少《すく》なくとも暗殺《あんさつ》の成功率《せいこうりつ》は格段《かくだん》に上《あ》がる
ナイフや狙撃《そげき》暗殺《あんさつ》に必要《ひつよう》な基礎《きそ》の数々《かずかず》
体育《たいいく》の時間《じかん》で俺《おれ》から教《おし》えさせてもらう！
キーン
コーン
カーン
コーン

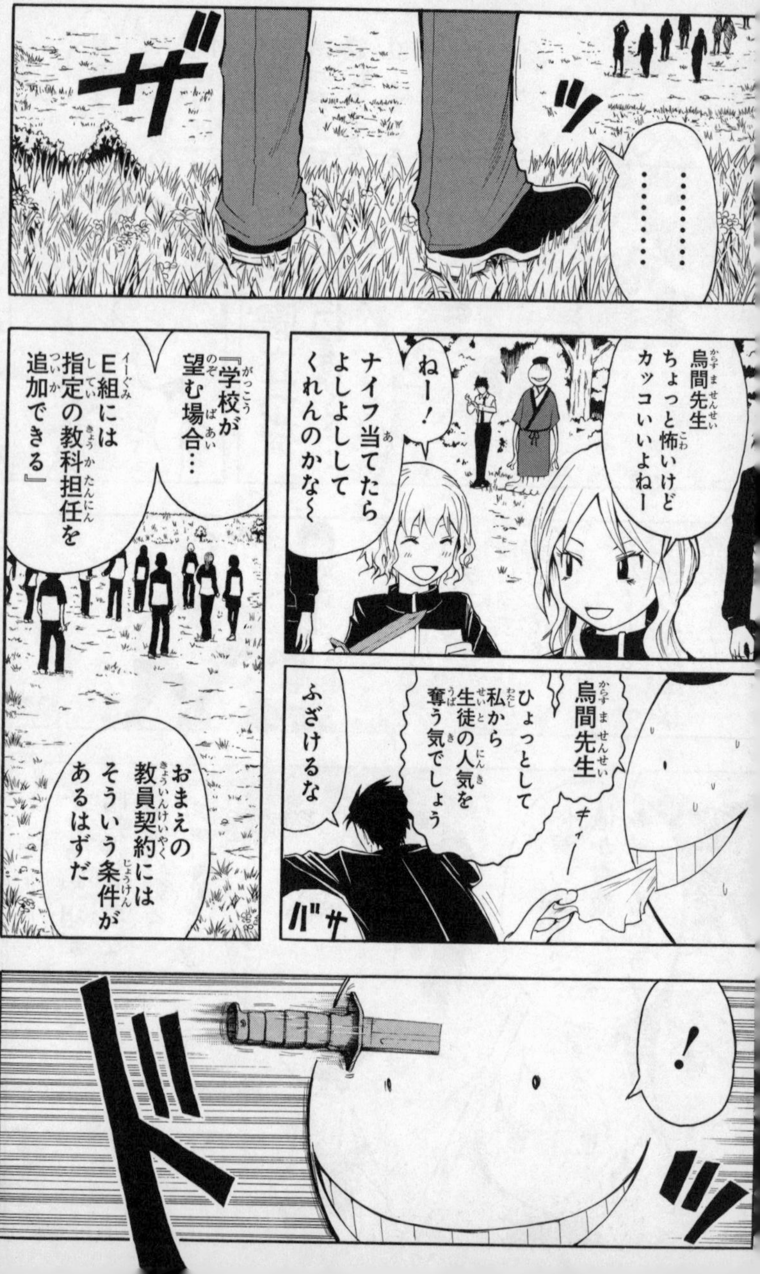
ザ
ッ
…………
…………
烏間先生《からすませんせい》ちょっと怖《こわ》いけどカッコいいよねー
ねー！ナイフ当《あ》てたらよしよししてくれんのかな〜

烏間先生《からすませんせい》ひょっとして私《わたし》から生徒《せいと》の人気《にんき》を奪《うば》う気《き》でしょう
キィー
ふざけるな
バサ

『学校《がっこう》が望《のぞ》む場合《ばあい》…E組《イーぐみ》には指定《してい》の教科担任《きょうかたんにん》を追加《ついか》できる』

おまえの教員契約《きょういんけいやく》にはそういう条件《じょうけん》があるはずだ
ド
ッ
！

ポロ…
俺《おれ》の任務《にんむ》は殺《ころ》し屋達《やたち》の現場監督《げんばかんとく》だ
あくまでおまえを殺《ころ》すためのな
「奴《やつ》」や「おまえ」ではありません
ニヤ
生徒《せいと》が名付《なづ》けた「殺《ころ》せんせー」と呼《よ》んで下《くだ》さい
6時間目《じかんめ》小《しょう》テストかー
!
体育《たいいく》で終《お》わって欲《ほ》しかったよね
ザッ
ザッ
ザ
ザ
……!!

カルマ君《くん》…
帰《かえ》って来《き》たんだ
よー 渚君《なぎさくん》 久《ひさ》しぶり
わ あれが例《れい》の殺《ころ》せんせー?
すっげ 本《ほん》トに タコみたいだ
ザッ

ザッ
!
ザッ
赤羽業君《あかばねカルマくん》…ですね
今日《きょう》が停学明《ていがくあ》けと聞《き》いてました
初日《しょにち》から遅刻《ちこく》はいけませんねぇ
あはは
生活《せいかつ》リズム戻《もど》らなくて
下《した》の名前《なまえ》で気安《きやす》く呼《よ》んでよ
とりあえずよろしく先生《せんせい》!!
こちらこそ
楽《たの》しい1年《ねん》にして行《い》きましょう
ギュ

ズ
ロオー
!
シャキン

ザ…ッッ
シュウウウ…
…へー
本《ほん》トに速《はや》いし
本《ほん》トに効《き》くんだ
対先生《この》ナイフ
細《こま》かく切《き》って
貼《は》っつけて
みたんだけど
シュウウウウ

けどさぁ
先生《せんせい》
こんな
単純《たんじゅん》な「手《て》」に
引《ひ》っかかるとか…
しかも
そんなとこまで
飛《と》び退《の》くなんて
ビビリ過《す》ぎじゃね？
ザッ
…初《はじ》めてだ…
殺《ころ》せんせーに
ダメージを
与《あた》えた生徒《ヒト》!!
ザッ
ザッ
ズリュン
殺《ころ》せないから
「殺《ころ》せんせー」って
聞《き》いてたけど
ザッ
!

あッれェ
せんせー
ひょっとして
チョロイひと?
ピク
ピク
ピク
ピク

渚《なぎさ》
私《わたし》E組《イーぐみ》来《き》てから日《ひ》が浅《あさ》いから知《し》らないんだけど
彼《かれ》どんなひとなの？
…うん 1年《ねん》2年《ねん》が同《おな》じクラスだったんだけど
2年《ねん》の時《とき》続《つづ》けざまに暴力沙汰《ぼうりょくざた》で停学食《ていがくく》らって
このE組《イーぐみ》にはそういう生徒《せいと》も落《お》とされるんだ
平和
でも… 今《いま》この場《ば》じゃ優等生《ゆうとうせい》かも知《し》れない
…？
どういう事《こと》？
カチッ

凶器《きょうき》とか騙《だま》し討《う》ちの「基礎《きそ》」なら……
多分《たぶん》カルマ君《くん》が群《ぐん》を抜《ぬ》いてる
逃《に》げないでよ殺《ころ》せんせー
「殺《ころ》される」ってどういう事《こと》か授業《おし》えてやるよ

烏《からす》間《ま》 惟《ただ》臣《おみ》

- 誕《たん》生《じょう》日《び》　8月《がつ》15日《にち》生《うまれ》(28歳《さい》)
- 身《しん》長《ちょう》　180cm《センチメートル》
- 体《たい》重《じゅう》　85kg《キログラム》
- 経《けい》歴《れき》　第《だい》一《いち》空《くう》挺《てい》団《だん》→統《とう》合《ごう》情《じょう》報《ほう》部《ぶ》
→臨《りん》時《じ》特《とく》務《む》部《ぶ》→E《イー》組《ぐみ》体《たい》育《いく》教《きょう》師《し》
- 趣《しゅ》味《み》、特《とく》技《ぎ》　戦《せん》闘《とう》技《ぎ》術《じゅつ》全《ぜん》般《ぱん》
- 座《ざ》右《ゆう》の銘《めい》　可《か》能《のう》なら実《じっ》行《こう》し、
不《ふ》可《か》能《のう》でも断《だん》行《こう》する。
- 好《す》きな動《どう》物《ぶつ》　犬《いぬ》
- 犬《いぬ》の前《まえ》を通《とお》ると　死《し》にもの狂《ぐる》いで吠《ほ》えられる

第《だい》5話《わ》 カルマの時《じ》間《かん》

E 前原陽斗
E 三村航輝
E 磯貝悠馬
E 片岡メグ
E 矢田桃花
E 木村正義
E 岡野ひなた
E 杉野友人
E 倉橋陽菜乃
暗殺《あんさつ》に比較的《ひかくてき》
積極的《せっきょくてき》な生徒達《せいとたち》。
学級委員《がっきゅういいん》２人《り》の
リーダーシップで
百億円《ひゃくおくえん》の賞金首《しょうきんくび》を狙《ねら》う。

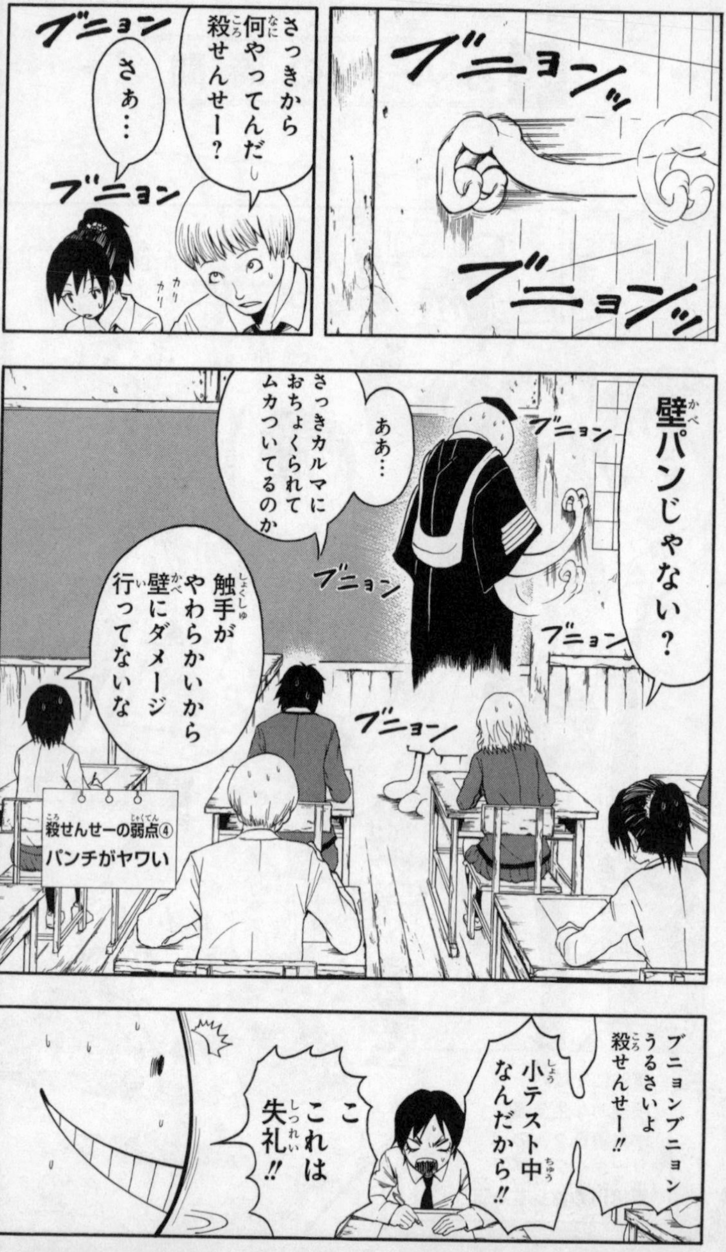
ブニョンッ
ブニョンッ
さっきから何《なに》やってんだし殺《ころ》せんせー？
さぁ…
ブニョン
ブニョン
カリカリ
壁《かべ》パンじゃない？
ああ…
さっきカルマにおちょくられてムカついてるのか
ブニョン
ブニョン
触手《しょくしゅ》がやわらかいから壁《かべ》にダメージ行《い》ってないな
ブニョン
ブニョン
殺《ころ》せんせーの弱点《じゃくてん》④
パンチがヤワい
ブニョンブニョンうるさいよ殺《ころ》せんせー!!
小《しょう》テスト中《ちゅう》なんだから!!
こ
これは失礼《しつれい》!!

よォ カルマァ あのバケモン 怒《おこ》らせて どーなっても 知《し》らねーぞー
またおうちに こもってた方《ほう》が 良《い》いんじゃなーい
…
殺《ころ》されかけたら 怒《おこ》るのは 当《あた》り前《まえ》じゃん
寺坂《てらさか》
しくじって ちびっちゃった 誰《だれ》かの時《とき》と 違《ちが》ってさ
ドン
ちびって ねーよ!!
テメ ケンカ 売《う》ってんのか!!
こら そこ!! テスト中《ちゅう》に 大《おお》きな音《おと》 立《た》てない!!
自分《じぶん》の触手《しょくしゅ》に 言《い》ってくれ
プスー

ごめんごめん殺《ころ》せんせー
俺《おれ》もう終《お》わったからさ
ジェラート食《く》って静《しず》かにしてるわ
ダメですよ授業中《じゅぎょうちゅう》にそんなもの
まったくどこで買《か》って来《き》て…
!!
そっ
それは昨日《きのう》先生《せんせい》がイタリア行《い》って買《か》ったやつ!!
おまえのかよ!!
あごめーん
教員室《きょういんしつ》で冷《ひ》やしてあったからさ
ごめんじゃ済《す》みません!!
溶《と》けないように苦労《くろう》して寒《さむ》い成層圏《せいそうけん》を飛《と》んで来《き》たのに!!

へー……
で
どーすんの？
殴《なぐ》る？
殴《なぐ》りません!!
残《のこ》りを先生《せんせい》が
舐《な》めるだけです!!
……
ズン
ズン
!!
チュッ
ドロォ
対先生《たいせんせい》
BB弾《ビービーだん》が…
グラ…
いつの間《ま》にか
床《ゆか》に!!

あっは──
まァーた
引《ひ》っかかった
パンパン
!
パン
ガタ
何度《なんど》でも
こういう手《て》
使《つか》うよ
授業《じゅぎょう》の
邪魔《じゃま》とか
関係《かんけい》ないし
それが
嫌《いや》なら…
俺《おれ》でも
俺《おれ》の親《おや》でも
殺《ころ》せばいい
……

でも その瞬間《しゅんかん》から
もう誰《だれ》も あんたを 先生《せんせい》とは 見《み》てくれない
ただの 人殺《ひとごろ》しの モンスターさ
あんたという 「先生《せんせい》」は…
俺《おれ》に 殺《ころ》された 事《こと》になる
はいテスト 多分《たぶん》 全問正解《ぜんもんせいかい》
!
じゃね「先生《せんせい》」〜
ガラッ
明日《あした》も 遊《あそ》ぼうね!

—カルマ君《くん》は頭《あたま》の回転《かいてん》がすごく速《はや》い
今《いま》もそうだ
先生《せんせい》が先生《せんせい》であるためには越《こ》えられない一線《いっせん》があるのを見抜《みぬ》いた上《うえ》で
……
殺《ころ》せんせーにギリギリの駆《か》け引《ひ》きを仕掛《しか》けている
けど本質《ほんしつ》を見通《みとお》す頭《あたま》の良《よ》さと
どんな物《もの》でも扱《あつか》いこなす器用《きよう》さを
ザッ
ザッ
人《ひと》とぶつかるために使《つか》ってしまう

まったく…
彼《かれ》のせいでジェラートの買《か》い直《なお》しだ
キィイイイイイイイイイーン
頭《あたま》が良《よ》く手強《てごわ》い生徒《せいと》だが
歴史小テスト③
赤羽 業
100
彼《かれ》の言《い》う通《とお》り教師《きょうし》を続《つづ》けるためには…
殺《ころ》す事《こと》も傷付《きずつ》ける事《こと》も許《ゆる》されない
…さぁて
どう片付《かたづ》けてやりますかねぇ

椚ヶ丘駅 北口
じゃーな 渚《なぎさ》！
うん また明日《あした》〜
…おい 渚《なぎさ》だぜ
なんかすっかり E組《イーぐみ》に 馴染《なじ》んでんだけど
だっせぇ ありゃもぉ 俺等《おれら》のクラスに 戻《もど》って 来《こ》ねーな
しかもよ 停学明《ていがくあ》けの 赤羽《あかばね》まで E組復帰《イーぐみふっき》らしいぞ
うっわ 最悪《さいあく》 マジ 死《し》んでもE組《あそこ》 落《お》ちたくねーわ

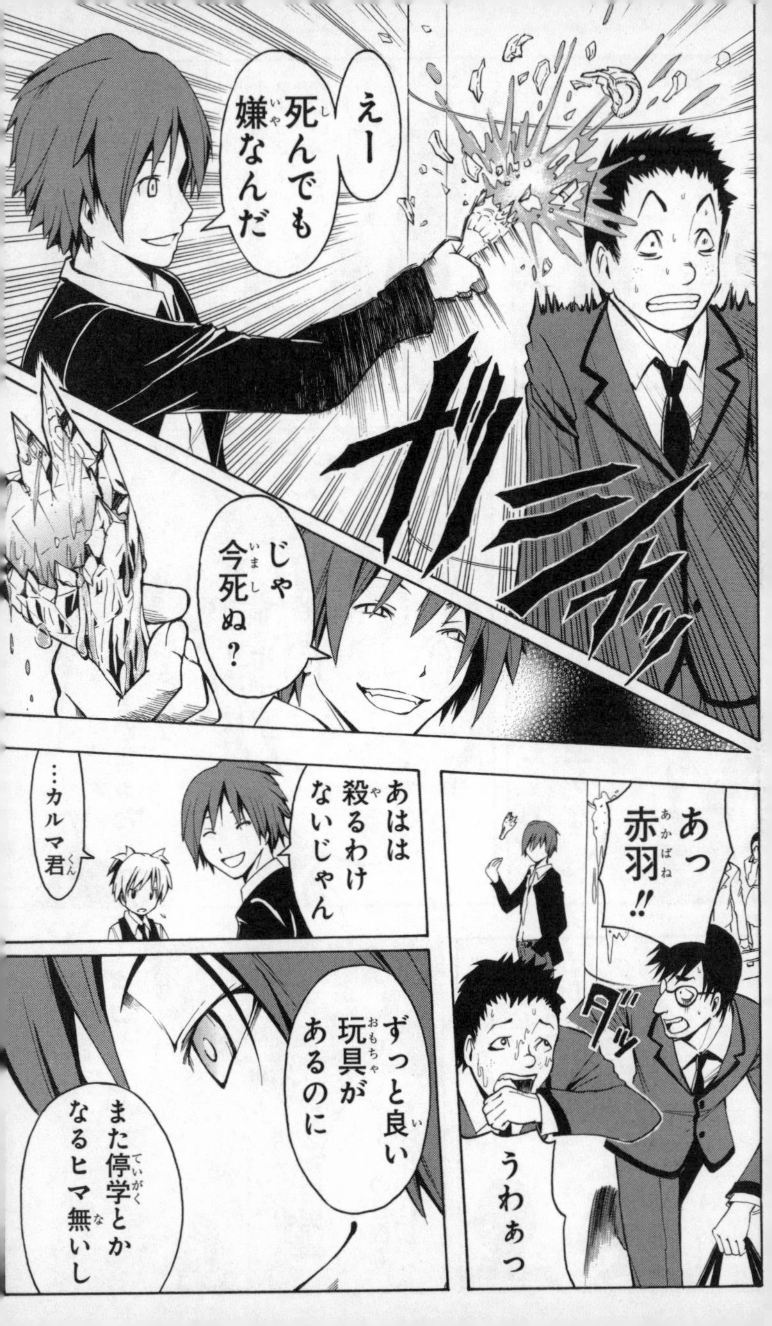

えー 死《し》んでも嫌《いや》なんだ
ガシャッ
じゃ 今《いま》死《し》ぬ？
あっ 赤羽《あかばね》!!
ダッ
うわぁっ
あはは 殺《や》るわけないじゃん
…カルマ君《くん》
ずっと良《い》い玩具《おもちゃ》があるのに
また停学《ていがく》とかなるヒマ無《な》いし

でさぁ
渚君《なぎさくん》
聞《き》きたい事《こと》あるんだけど
殺《ころ》せんせーの事《こと》ちょっと詳《くわ》しいって？
…う
うん
まぁ
ちょっと
あの先生《せんせい》さぁ
タコとか言《い》ったら怒《おこ》るかな？
…タコ？
うーん
むしろ逆《ぎゃく》かな
自画像《じがぞう》タコだし
ゲームの自機《じき》もタコらしいし
タコ×!!
引っかかりやすいミスです
この前《まえ》なんか校庭《こうてい》に穴《あな》掘《ほ》って
ザク
ザク

タコつぼ
…っていう一発《いっぱつ》ギャグやってたし
先生《せんせい》にとってちょっとしたトレードマークらしいよ
まぁまぁウケてたし
…ふーん
…そ〜だ
くだらねー事《こと》考《かんが》えた
ニヤ
急行 通過します
……カルマ君《くん》次《つぎ》は何《なに》企《たくら》んでんの？

パアアン
…俺《おれ》さぁ　嬉《うれ》しいんだ
ただのモンスターならどうしようと思《おも》ってたけど
案外《あんがい》ちゃんとした先生《せんせい》で
ちゃんとした先生《せんせい》を殺《ころ》せるなんてさ
前《まえ》の先生《せんせい》は自分《じぶん》で勝手《かって》に死《し》んじゃったから
……？

……計算外《けいさんがい》です
ジェラートを買《か》う金《かね》が無《な》いとは
給料日《きゅうりょうび》まで収入《しゅうにゅう》のアテも無《な》し
自炊《じすい》するしかありませんねぇ
調理器具《ちょうりきぐ》なら校舎《こうしゃ》の倉庫《そうこ》にそろってるし
おはようございます
ガララ
……
…ん？どうしましたか皆《みな》さん？

殺《ころ》せんせーと
間違《まちが》えて
殺《ころ》しちゃったぁ
捨《す》てとくから
持《も》ってきてよ
あ
ごっめーん！
わかりました
…………
ヌチャ

…来《こ》いよ
殺《ころ》せんせー
身体《からだ》を殺《ころ》すのは
今《いま》じゃなくても
別《べつ》にいい
まずは
じわじわ…
心《こころ》から
殺《ころ》してやるよ
ギュルルルルル
!?

ボッ
ザッ
見《み》せてあげましょうカルマ君《くん》
このドリル触手《しょくしゅ》の威力《いりょく》と
自衛隊《じえいたい》から奪《うば》っておいたミサイルの火力《かりょく》を
ゴオオオオオオ

ドリュ
ドリュ
ドリュ
ドリュ
ドリュ
ドリュ
先生《せんせい》は
暗殺者《あんさつしゃ》を決《けっ》して無事《ぶじ》では帰《かえ》さない
ヒュッ

!!
あッつ!!
その顔色《かおいろ》では朝食《ちょうしょく》を食《た》べていないでしょう
きゅる
きゅる
マッハでタコヤキを作《つく》りました
これを食《た》べれば健康優良児《けんこうゆうりょうじ》に近付《ちかづ》けますね
……
先生《せんせい》はねカルマ君《くん》
手《て》入《い》れをするのです
錆《さ》びて鈍《にぶ》った暗殺者《あんさつしゃ》の刃《やいば》を

今日《きょう》1日《にち》本気《ほんき》で殺《ころ》しに来《く》るがいい
そのたびに先生《せんせい》は君《きみ》を手入《てい》れする
・・・・・・!!
放課後《ほうかご》までに
君《きみ》の心《こころ》と身体《からだ》をピカピカに磨《みが》いてあげよう

手間を惜しまない

――それが嫌がらせの極意

どうしてもこの数字《すうじ》が余《あま》ってしまう！
——1時間目《じかんめ》・数学《すうがく》——
そんな割《わ》り切《き》れないお悩《なや》みを持《も》つあなた!!
でも大丈夫《だいじょうぶ》ピッタリの方法《ほうほう》を用意《ようい》しました!!
黒板《こくばん》に書《か》くので皆《みんな》で一緒《いっしょ》に解《と》いてみましょう
カンカシカシュシュ
……
シュッ…
第《だい》6話《わ》 二択《にたく》の時間《じかん》

第《だい》6話《わ》 二《に》択《たく》の時《じ》間《かん》
……で
これを全部《ぜんぶ》カッコ良《よ》くまとめちゃって
それから……するとあらビックリ
……
グ
グ
グ
グ
グ
……となりますああカルマ君《くん》
銃《じゅう》を抜《ぬ》いて撃《う》つまでが遅《おそ》すぎますよ
ヒマだったのでネイルアートを入《い》れときました
……!!

──4時間目《じかんめ》・技術家庭科《ぎじゅつかていか》──
不破《ふわ》さんの班《はん》は出来《でき》ましたか？
…うーん どうだろ
なんか味《あじ》がトゲトゲしてんだよね
どれどれ
♪
へえ じゃあ作《つく》り直《なお》したら？
1回《かい》捨《す》ててさ
わっ
ドンッ

……!!
エプロンを忘《わす》れてますよカルマ君《くん》
スープならご心配《しんぱい》なく
全部《ぜんぶ》空中《くうちゅう》でスポイトで吸《す》っておきました
チュチュチュチュチュチュチュチュ
ついでに砂糖《さとう》も加《くわ》えてね
あ!!
マイルドになってる!!
かわいー
プッ

…無理《むり》だ
──5時間目《じかんめ》・国語《こくご》──
殺《ころ》せんせーは けっこう 弱点《じゃくてん》が多《おお》い
ちょいちょい ドジ踏《ふ》むし
慌《あわ》てた時《とき》は 反応速度《はんのうそくど》も 人並《ひとな》みに落《お》ちる
…けど
どんなに カルマ君《くん》が 不意打《ふいう》ちに 長《た》けていても
スッ…
「──私《わたし》が そんな事《こと》を考《かんが》えて いる間《あいだ》にも──」

ピタ…
「──赤蛙《あかがえる》はまた失敗《しっぱい》して戻《もど》って来《き》た」
「私《わたし》はそろそろ退屈《たいくつ》し始《はじ》めていた
シュー
スッ
スッ
私《わたし》は道路《どうろ》からいくつかの石《いし》を拾《ひろ》ってきて──」
ガチで警戒《けいかい》してる先生《せんせい》の前《まえ》では…
キーンコーンカーンコーン…
この暗殺《あんさつ》は無理《むり》ゲーだ

※島木《しまき》健作《けんさく》「赤蛙《あかがえる》」より

ゴオオオォ
カリカリカリ
…カルマ君《くん》
焦《あせ》らないで皆《みんな》と一緒《いっしょ》に殺《や》ってこうよ
殺《ころ》せんせーに個人《こじん》マークされちゃったら…
どんな手《て》を使《つか》っても1人《り》じゃ殺《ころ》せない
普通《ふつう》の先生《せんせい》とは違《ちが》うんだから
…………
先生《せんせい》…ねぇ

赤羽《あかばね》!!
おまえが正《ただ》しい!!
ケンカっ早《ぱや》い おまえは問題行動《もんだいこうどう》も多《おお》いがな
おまえが正《ただ》しい限《かぎ》り
先生《せんせい》はいつでもおまえの味方《みかた》だ!!
……やだね
俺《おれ》が殺《や》りたいんだ
変《へん》なトコで死《し》なれんのが一番《いちばん》ムカつく
………
さてカルマ君《くん》
今日《きょう》は沢山《たくさん》先生《せんせい》に手入《てい》れをされましたね
ザッ

まだまだ 殺《ころ》しに来《き》ても いいですよ？
もっと ピカピカに 磨《みが》いてあげます
ざ…
………
確認《かくにん》 したいんだけど 殺《ころ》せんせーって 先生《せんせい》だよね？
？
はい
先生《せんせい》ってさ 命《いのち》をかけて 生徒《せいと》を守《まも》って くれるひと？
もちろん 先生《せんせい》ですから
そっか 良《よ》かった
チャッ…
なら 殺《ころ》せるよ

確実《かくじつ》に
トンッ
助《たす》けに来《く》れば
救出《きゅうしゅつ》する間《あいだ》に撃《う》たれて死《し》ぬ

見殺《みごろ》しにすれば
先生《せんせい》としてのあんたは死《し》ぬ!!
!
おおすっげ走馬灯《そうまとう》っぽいの見《み》えてきた
大丈夫《だいじょうぶ》先輩《せんぱい》?
3-E《イー》…あのE組《イーぐみ》?
3-E
大変《たいへん》だねそんな事《こと》で因縁《いんねん》つけられて
うん?俺《おれ》が正《ただ》しいよ?
いじめられてた先輩助《せんぱいたす》けて何《なに》が悪《わる》いの?

いいや赤羽《あかばね》
どう見《み》ても
おまえが悪《わる》い
え
頭《あたま》
おかしいのか
おまえ!!
3年《ねん》トップの
優等生《ゆうとうせい》に
重傷《じゅうしょう》を
負《お》わすとは!!
え
待《ま》ってよ
先生《せんせい》
E組《イーぐみ》なんぞの
肩《かた》を持《も》って
未来《みらい》有《あ》る者《もの》を
傷付《きずつ》けた
ボロ…
彼《かれ》の受験《じゅけん》に
影響《えいきょう》が出《で》たら
俺《おれ》の責任《せきにん》に
なるんだぞ
味方《みかた》とか
言《い》っといて…
そんな事《こと》
言《い》っちゃうんだ

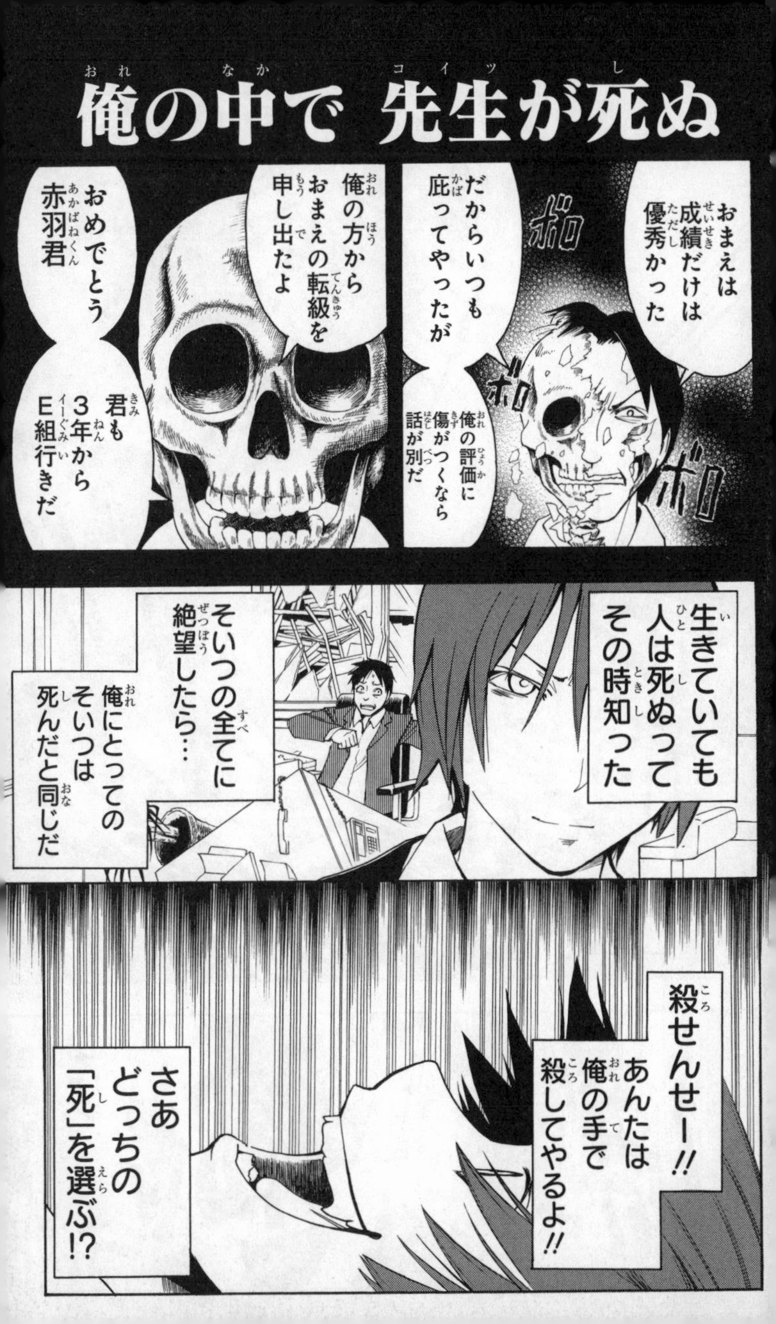
俺《おれ》の中《なか》で 先生《コイツ》が死《し》ぬ
おまえは成績《せいせき》だけは優秀《ただし》かった
ボロ
ボロ
ボロ
だからいつも庇《かば》ってやったが
俺《おれ》の評価《ひょうか》に傷《きず》がつくなら話《はなし》が別《べつ》だ
俺《おれ》の方《ほう》からおまえの転級《てんきゅう》を申《もう》し出《で》たよ
おめでとう赤羽君《あかばねくん》
君《きみ》も3年《ねん》からE組《イーぐみ》行《い》きだ
生《い》きていても人《ひと》は死《し》ぬってその時《とき》知《し》った
そいつの全《すべ》てに絶望《ぜつぼう》したら…
俺《おれ》にとってのそいつは死《し》んだと同《おな》じだ
殺《ころ》せんせー!!
あんたは俺《おれ》の手《て》で殺《ころ》してやるよ!!
さあどっちの「死《し》」を選《えら》ぶ!?

ドシュシュシュシュシュ

えっ…
ばふっ

カルマ君《くん》
自《みず》らを使《つか》った計算《けいさん》ずくの暗殺《あんさつ》お見事《みごと》です
音速《おんそく》で助《たす》ければ君《きみ》の肉体《にくたい》は耐《た》えられない
かといってゆっくり助《たす》ければその間《あいだ》に撃《う》たれる
にゅっ
そこで先生《せんせい》ちょっとネバネバしてみました
ねばァ
…くっそ
何《なん》でもアリかよこの触手《しょくしゅ》!!
これでは撃《う》てませんねぇヌルフフフフフ
…ああちなみに
ぐ……

見捨《みす》てるという選択肢《せんたくし》は先生《せんせい》には無《な》い
いつでも信《しん》じて飛《と》び降《お》りて下《くだ》さい
…………
…はっ
こりゃダメだ
死《し》なないし殺《ころ》せない

少《すく》なくとも…
先生《せんせい》としては
…カルマ君《くん》 平然《へいぜん》と無茶《むちゃ》したね
別《べつ》にぃ…
今《いま》のが考《かん》えてた限《かぎ》りじゃ一番殺《いちばんころ》せると思《おも》ったんだけど
しばらくは大人《おとな》しくして計画《けいかく》の練《ね》り直《なお》しかな
おやぁ？ もうネタ切《ぎ》れですか？
報復用《ほうふくよう》の手入《てい》れ道具《どうぐ》はまだ沢山《たくさん》ありますよ？
君《きみ》も案外《あんがい》チョロいですねぇ
超美肌水

…
殺意《さつい》が
湧《わ》いてくる
イラ…
けど
さっきまでと
なんか違《ちが》う
殺《ころ》すよ
明日《あした》にでも
ピッ
健康的《けんこうてき》で
さわやかな殺意《さつい》
もう
手入《てい》れの必要《ひつよう》は
無《な》さそうですね
ニコ

帰《かえ》ろうぜ
渚君《なぎさくん》
帰《かえ》りメシ
食《く》ってこーよ
ちょッ
それ
先生《せんせい》の財布《さいふ》!?
だからぁ
教員室《きょういんしつ》に
無防備《むぼうび》で
置《お》いとくなって
返《かえ》しなさい!!
いいよー
な
中身抜《なかみぬ》かれて
ますけど!?
暗殺《あんさつ》に行《い》った
殺《ころ》し屋《や》は
暗殺対象《ターゲット》に
ピカピカに
されてしまう
はした金《がね》
だったから
募金《ぼきん》しちゃった
にゅやーッ
不良慈善者《ふりょうじぜんしゃ》!!
それが僕等《ぼくら》の
暗殺教室《あんさつきょうしつ》
明日《あした》は
どうやって
殺《ころ》そうかな

殺意は地球を救う

お菓子《かし》から着色料《ちゃくしょくりょう》を取《と》り出《だ》す実験《じっけん》はこれで終了《しゅうりょう》!!
余《あま》ったお菓子《かし》は先生《せんせい》が回収《かいしゅう》しておきます
キーン
コーン
カーン
コーン…
給料日前《きゅうりょうびまえ》だから授業《じゅぎょう》でおやつを調達《ちょうたつ》してやがる
あれ買ったの俺等だぞ
地球《ちきゅう》を滅《ほろ》ぼす奴《やつ》がなんで給料《きゅうりょう》で暮《く》らしてんのよ
ザッ
ドクン
ドクン
第《だい》7話《わ》 毒《どく》の時間《じかん》
あ…
あのっ
先生《せんせい》……

第《だい》7話《わ》 毒《どく》の時《じ》間《かん》
毒《どく》です!!
飲《の》んで下《くだ》さい!!
がく
……奥田《おくだ》さん これはまた正直《しょうじき》な暗殺《あんさつ》ですねぇ
あっ…
あのあの

わ私《わたし》
皆《みんな》みたいに不意打《ふいう》ちとかうまくできなくて…
でもっ
化学《かがく》なら得意《とくい》なんで真心《まごころ》こめて作《つく》ったんです!!
お奥田《おくだ》…
化学
それで渡《わた》して飲《の》むバカはさすがに…
グビ
それはそれは
ではいただきます
飲《の》んだ!!
!!
ガク
ガク
これは…
こ…
ガク

にゅ
なんかツノ生《は》えたぞ
この味《あじ》は水酸化《すいさんか》ナトリウムですね
人間《にんげん》が飲《の》めば有害《ゆうがい》ですが先生《せんせい》には効《き》きませんねぇ
……そうですか
あと2本《ほん》あるんですね
は はい！
それでは
うっ
うぐあっ
ぐぐぐ…

バサッ
今度《こんど》は羽生《はねは》えた!!
無駄《むだ》に豪華《ごうか》な顔《かお》になってきたぞ
酢酸《さくさん》タリウムの味《あじ》ですね
では最後《さいご》の一本《いっぽん》
どうなる!?
最後《さいご》はどうなるんだ!?
ドクン
ドクーン
ドクン

真顔《まがお》になった…
変化《へんか》の法則性《ほうそくせい》が読《よ》めねーよ!!
王水《おうすい》ですねぇ
どれも先生《せんせい》の表情《ひょうじょう》を変《か》える程度《ていど》です
……はい…
てか先生《せんせい》真顔薄《まがおうす》っ!!
顔文字《かおもじ》みてーだな!!
先生《せんせい》の事《こと》は嫌《きら》いでも暗殺《あんさつ》の事《こと》は嫌《きら》いにならないで下《くだ》さい
いきなりどうした!?

それとね
奥田《おくだ》さん
生徒《せいと》1人《り》で毒《どく》を作《つく》るのは安全管理上《あんぜんかんりじょう》見過《みす》ごせませんよ
…はい
すみませんでした…
放課後《このあと》時間《じかん》あるのなら
一緒《いっしょ》に先生《せんせい》を殺《ころ》す毒薬《どくやく》を研究《けんきゅう》しましょう
…はいっ!!
……
暗殺対象《ターゲット》と一緒《いっしょ》に作《つく》る毒薬《どくやく》ねぇ
……
後《あと》で成果《せいか》を聞《き》いてみよう

ではそれをエタノールに投入《とうにゅう》しましょう
気体《きたい》を吸《す》わぬよう気《き》をつけて
はいっ
…君《きみ》は理科《りか》の成績《せいせき》は素晴《すば》らしいんですけどねぇ
…はい
でもそれ以外《いがい》がさっぱりで
E組《イーぐみ》に落《お》とされても仕方《しかた》ないです
特《とく》に…国語《こくご》が
言葉《ことば》の良《よ》し悪《あ》しとか
人間《にんげん》の複雑《ふくざつ》な感情表現《かんじょうひょうげん》とか
何《なに》が正解《せいかい》かわからなくて
……
…でもそれで構《かま》いません
数学《すうがく》や化学式《かがくしき》は絶対《ぜったい》に正解《せいかい》が決《き》まってるから

私《わたし》には
気《き》の利《き》いた言葉《ことば》遊《あそ》びも
細《こま》かい心情《しんじょう》を考《かんが》える作業《さぎょう》も必要《ひつよう》無《な》いんです
…そうですね
シュバッ
では そんな君《きみ》に先生《せんせい》から宿題《しゅくだい》をあげましょう
ピラ
手順①
NH_4Cl
35%
+
Na_2S_2
…で その毒薬《どくやく》を作《つく》って来《こ》いって言《い》われたんだ
はい!! 理論上《りろんじょう》はこれが一番《いちばん》効果《こうか》あるって!!
♪ー

毒物《どくぶつ》の正《ただ》しい保管法《ほかんほう》まで漫画《まんが》にしてある
相変《あいか》わらず殺《ころ》せんせー手厚《てあつ》いなぁ
正しく保管した時
間違って保管した時
きっと私《わたし》を応援《おうえん》してくれてるんです
国語《こくご》なんてわからなくても私《わたし》の長所《ちょうしょ》を伸《の》ばせばいいって
あ 来《き》たよ 渡《わた》してくれば?
ガララ
はい!!
先生《せんせい》これ……
さすがです…… では早速《さっそく》いただきます
ゴクン
ゴクーン
ゴクーン

ドクン
……ヌルフフフフフ
ありがとう奥田《おくだ》さん
ドクン
ドクン
ドクン
君《きみ》の薬《くすり》のおかげで…先生《せんせい》は新《あら》たなステージへ進《すす》めそうです
…えっそれってどういう…
ビキビキ
オオオオオオオ
グ
ドリ
!!

ふう
溶《と》けた!!
君《きみ》に作《つく》ってもらったのはね
先生《せんせい》の細胞《さいぼう》を活性化《かっせいか》させて流動性《りゅうどうせい》を増《ま》す薬《くすり》なのです
シャッ
スポ

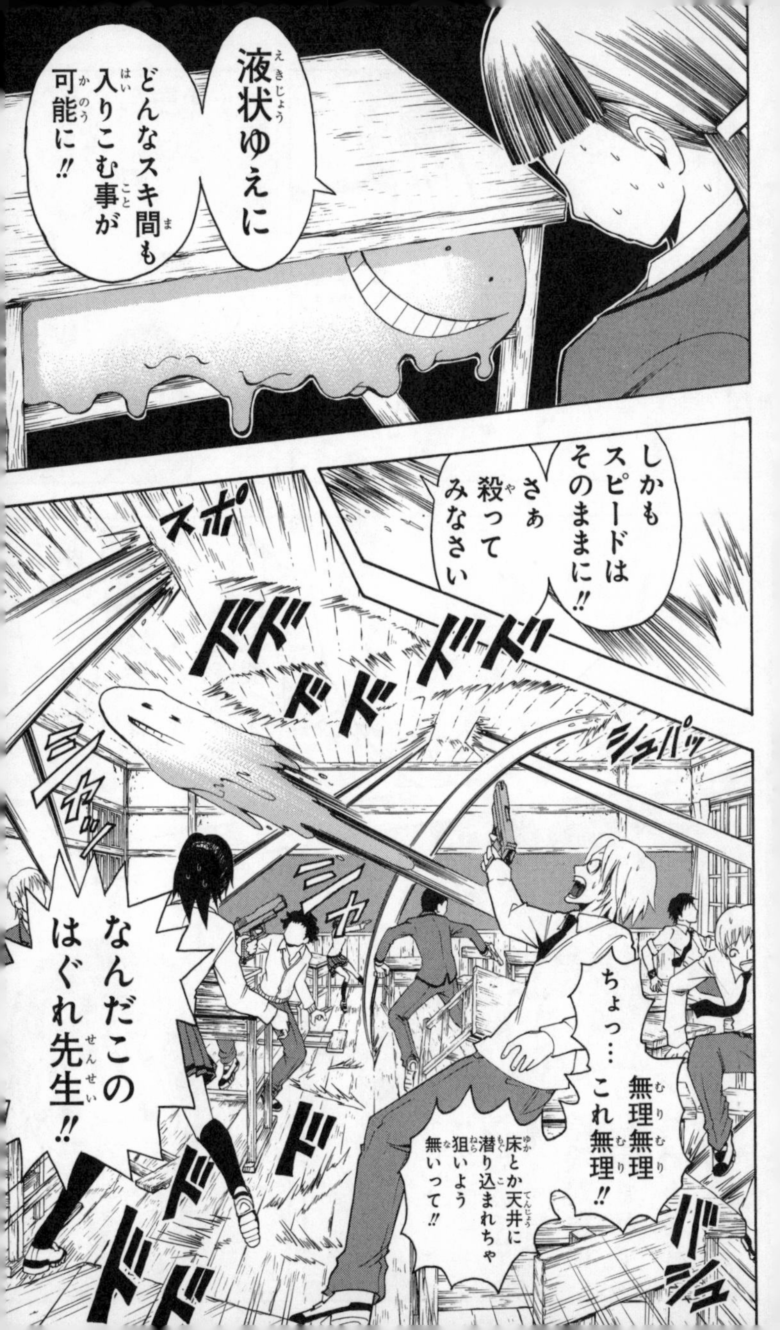
液状《えきじょう》ゆえに
どんなスキ間《ま》も入《はい》りこむ事《こと》が可能《かのう》に!!
しかもスピードはそのままに!!
さぁ殺《や》ってみなさい
スポ
ドドドドドドド
シュパッ
シャッ
シャ
ちょっ…
無理無理《むりむり》これ無理《むり》!!
床《ゆか》とか天井《てんじょう》に潜《もぐ》り込《こ》まれちゃ狙《ねら》いよう無《な》いって!!
なんだこのはぐれ先生《せんせい》!!
ドドド
ジュ

奥田《おくだ》さん…
先生《せんせい》あの薬《くすり》毒《どく》って言《い》ったんだよね
……
だっ…
だましたんですか殺《ころ》せんせー!?
つ──ん
奥田《おくだ》さん
暗殺《あんさつ》には人《ひと》を騙《だま》す国語力《こくごりょく》も必要《ひつよう》ですよ
えっ…
どんなに優《すぐ》れた毒《どく》を作《つく》れても…
今回《こんかい》のようにバカ正直《しょうじき》に渡《わた》したのでは
暗殺対象《ターゲット》に利用《りよう》されて終《お》わりです
毒
Poison

渚君《なぎさくん》
君《きみ》が先生《せんせい》に毒《どく》を盛《も》るならどうしますか?
え
…うーん
先生《せんせい》の好《す》きな甘《あま》いジュースで毒《どく》を割《わ》って…
特製手作《とくせいてづく》りジュースだと言《い》って渡《わた》す…
…とかかな
そう
人《ひと》を騙《だま》すには相手《あいて》の気持《きも》ちを知《し》る必要《ひつよう》がある
言葉《ことば》に工夫《くふう》をする必要《ひつよう》がある
上手《じょうず》な毒《どく》の盛《も》り方《かた》
それに必要《ひつよう》なのが国語力《こくごりょく》です

君《きみ》の理科《りか》の才能《さいのう》は将来皆《しょうらいみんな》の役《やく》に立《た》てます
効能切れ→
は…
それを多《おお》くの人《ひと》にわかりやすく伝《つた》えるために…
毒《どく》を渡《わた》す国語力《こくごりょく》も鍛《きた》えて下《くだ》さい
スポン
はい!!
あっはは
やっぱり暗殺以前《あんさついぜん》の問題《もんだい》だね〜

殺《ころ》せんせーの力《ちから》の前《まえ》では…
世界史
猛毒《もうどく》を持《も》った生徒《せいと》でもただの生徒《せいと》になってしまう
まだまだ…
先生《せんせい》の命《いのち》に迫《せま》れる生徒《せいと》は出《で》そうにないや
……
しかしながら本部長《ほんぶちょう》それは
生徒達《せいとたち》に不安《ふあん》を与《あた》えはしないでしょうか

烏間君《からすまくん》
君《きみ》は生徒《せいと》の不安《ふあん》と地球《ちきゅう》の不安《ふあん》どっちが優先《ゆうせん》だ
……
国《くに》の決定《けってい》だ
もとより素人《しろうと》の子供達《こどもたち》に殺《や》れるとは思《おも》っておらん
…それでその人物《じんぶつ》はどのような
手練《てだれ》だよ
世界各国《せかいかっこく》で11件《けん》の仕事《しごと》の実績《じっせき》がある

正真正銘《しょうしんしょうめい》・・・
プロの暗殺者《あんさつしゃ》を送《おく》り込《こ》む
ペロッ
1暗殺《あんさつ》の時間《じかん》(完《かん》)

休《やす》み時間《じかん》 殺《ころ》せんせーの絵《え》描《か》き歌《うた》

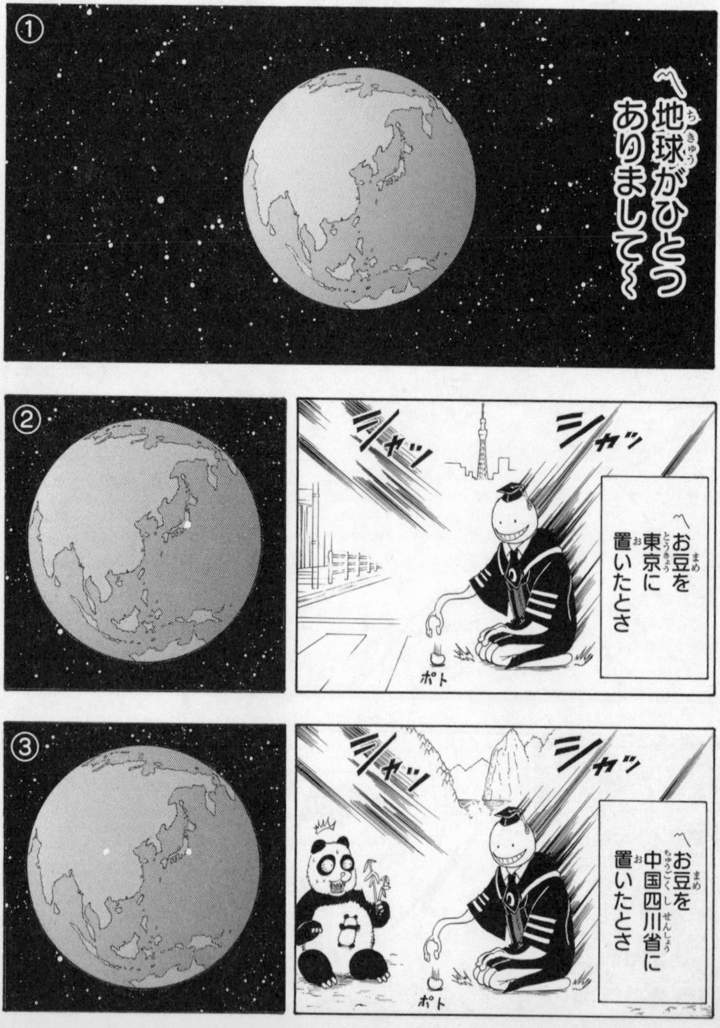
①
〽地球《ちきゅう》がひとつありまして〜
②
シャッ
シャッ
〽お豆《まめ》を東京《とうきょう》に置《お》いたとさ
ポト
③
シャッ
シャッ
〽お豆《まめ》を中国《ちゅうごく》四《し》川省《せんしょう》に置《お》いたとさ
ポト

ドバイからハワイまで
飛行機雲《ひこうきぐも》を
描《か》きながら
飛《と》びまして〜
④
ハワイからドバイに
フィリピン上空《じょうくう》を
通過《つうか》しながら
戻《もど》りまして〜
⑤
さらにハワイドバイ間《かん》を
経度《けいど》二十度《にじゅうど》ごとに
タテに飛《と》びまして〜
（④〜⑥を
飛行機雲《ひこうきぐも》が消《き》える前《まえ》に
完了《かんりょう》させまして〜）
⑥
あ〜っという間《ま》に
殺《ころ》せんせー♪
さ…
実際《じっさい》に行《い》って
描《か》いてみましょう
描《か》けるか!!
休《やす》み時間《じかん》(完《かん》)

■ジャンプ・コミックス

暗殺教室

1 暗殺の時間

2012年11月7日　第1刷発行
2013年6月25日　第8刷発行

著　者　松　井　優　征

編　集　株式会社　ホーム社
東京都千代田区神田神保町3丁目29番　共同ビル
〒101-0051
電話　東京　03(5211)2651

発行人　鈴　木　晴　彦

発行所　株式会社　集　英　社
東京都千代田区一ツ橋2丁目5番10号
〒101-8050
03(3230)6233(編集部)
電話　東京　03(3230)6191(販売部)
03(3230)6076(読者係)
Printed in Japan

製版所　株式会社コスモグラフィック
印刷所　株式会社廣　済　堂

ISBN978-4-08-870596-5　C9979

PRAYERS
New and Old